들어가기

이책은 타로카드의 질적 실력

하기 위한 방편으로 실전타로 임상에서 터 누구나 전문적이고 고급적 타로리딩에 가가 수십년간 축적한 임상 노하우를 기본 배열법을 응용하여 순차적으로 재미있게 리딩절차를 이해할수 있도록 체계적으로 구성되었습니다. 타로는 운세를 정확하게 예측하기 위한 도구로 사용될 수 있지만, 그것은 예측과 해석에 개인적인 요소가 많이 들어가기 때문에 주의가 필요합니다.

타로카드는 메이져, 마이너 카드의 스토리와 핵심을 익히고 배열법에 따라 배열해서 인과적 절차에 따라 자연스럽게 해석하여 상담에 응용하도록 되어 있습니다. 직관적인 리딩을 한다면 한사람의 앞으로 종합운세부터 시작하여 연애운, 직업운, 재물운, 금전운, 이사운, 이동운, 승진운, 속마음등 다른 상담체계에서 볼 수 없는 점과 상담요소를 결합하여 재미있고 감각적으로 문제를 풀어나가면서 해결해 나갈수 있습니다. 대부분의 카드가 이 체계를 바탕으로 구성되었기에 다른카드에 대한 접근은 편리하거나 별도로 숙지하지 않아도 해결이 되는 것입니다.

"천리길도 한걸음부터"라는 속담이 있습니다.

처음부터 차근차근 교재를 따라 프로세싱을 익히고 스토리를 읽어 나가다보면 어느새 어느 시점에 자기도 모르게 엄청난 실력향상과 직관을 얻어 자신감을 가지고 타인의 질문과 문제에 접근하여 타로로부터 도출되는 직관을 가지고 상담을 해결해 나가는 자신을 발견하게 될 것입니다.

서두르지 말고 차근 차근 스토리를 읽어나가다 보면 어느새 타로의 직관에 따라 해석하고 리딩해 나갈수가 있게 되고 점차로 배열법을 확장해 나가다보면 우리 삶에서 겪게되는 모든 문제에 접근해 문제를 해결해 나갈수 있습니다. 타로는 단시점이라고하여 짧은 시간 일어나는 일들과 수개월내의 짧은 기간내 일어나는 일들을 구체적으로 잘 드러냅니다. 너무 욕심내어 2년후, 3년후라든지 이렇게 긴시간을 보지 않는 것이 좋습니다. 또한 동시성의 원리에 따라 현재 질문자의 질문에 반응하여 동시성으로서 당면시기에 일어나는 이벤트들의 문제에 초점을 둡니다. 같은 질문을 계속 반복하여 질문하는 것은 옳지 않으며 같은 이벤트는 그 이벤트가 끝날때까지 반복하여 점을 보지 않도록 하는것도 중요합니다.

이 멀티타로실전리딩사례집을 사용하여 타로를 익혀가는 분들에게 충분한 임상리딩 습득과 연습을 통한 직관을 발휘하여 총기있는 타로점과 고급상담을 진행할수 있게 되기를 기원하며 타로카드에 대한 이해와 직관의 폭을 넓혀가는 계기가 되기를 진심으로 기원합니다.

PLUS
멀티타로실전
리딩사례집
저자 박광열

목 차

1. 저에게 앞으로 연인이 생길까요?
(탑-완드7-펜타클5)

상담의 팁

탑 (The Tower): 탑은 종종 급격한 변화, 파괴, 혼란을 나타냅니다. 연인이 생길 때 기존의 구조나 관습이 무너지고 새로운 시작이 될 수 있음을 시사할 수 있습니다. 이것은 때로는 과거의 관계나 사고 방식을 깨뜨리고 새로운 사랑이 찾아올 수 있다는 것을 의미할 수 있습니다.

완드 7 (Seven of Wands): 완드 7은 도전, 경쟁, 자신의 위치를 지키려는 노력을 상징합니다. 이 카드는 새로운 연애의 가능성에 대한 도전적인 요소나 현재 상황에서의 경쟁적인 요소를 시사할 수 있습니다.

펜타클 5 (Five of Pentacles): 펜타클 5는 분배, 어려움, 결핍을 나타냅니다. 이 카드는 때로는 연인이 생길 가능성이 현재 어려운 시기에 있을 수 있음을 시사할 수 있습니다. 이것은 감정적으로나 재정적으로 어려움을 겪고 있는 동안 새로운 연애의 기회를 놓치지 않도록 주의를 기울일 필요가 있다는 것을 암시할 수 있습니다.
결론적으로 연인은 본인의 노력여하에 달려 있음을 알수 있습니다.

2. 졸업후 진학하는것이 좋을까요? 취업을 하는것이 좋을까요? 양자택일 선택법

(좌: 펜타클2-쏘드2-탑 우: 펜타클2-스타-교황)

상담의 팁

졸업 후 진학과 취업 모두 장단점이 있으므로 개인적인 상황과 목표에 따라 선택할 필요가 있습니다.

펜타클2-쏘드2-탑은 전통과 안정성을 나타내는 선택이며, 취업에 대한 관심이 크다는 것을 보여줍니다. 취업을 선택하면 즉시 돈을 벌며 경험을 쌓을 수 있지만, 여러 가지 어려움에도 봉착한다는 것을 암시합니다.

그러나 불확실성이 높은 경제적 상황에서는 구직 시간이 길어질 수 있으며, 원하는 분야에 진출하기 위해 높은 경쟁력을 유지해야 합니다.

반면, 펜타클2-별-교황은 꿈과 열정을 나타내는 선택입니다. 진학을 선택하면 교육과정을 거치면서 전문 지식과 기술을 습득하며, 개인의 역량을 높일 수 있습니다. 그러나 대학원에서의 연구나 학업은 비용이 많이 들고 시간과 노력이 필요합니다. 또한 졸업 후에는 취업 시장에서 경쟁력이 높은 전문성을 갖춘 사람이 되어야 합니다.

최종 결정은 개인의 상황과 목표, 성향, 우선순위에 따라 달라질 것입니다.
경제적 안정을 우선으로 한다면 취업을 선택하는것도 괜찮다고 보이며, 미래를 위한 교육과정을 거쳐 개인의 역량을 높이려면 진학을 선택하는 것이 좋습니다.

3. 상대방 여자는 나를 어떻게 생각하는가요?

A쏘드3　B페이지컵 C컵9

D쏘드10　E퀸쏘드　F세계

A : 남자의 현재 상태

B : 남자과 여자 관계의 현재 상태

C : 여자의 현재 상태

D : 남자의 내면(속마음)

E : 남자와 여자 관계의 내면

F : 여자의 내면(속마음)

상담의 팁

관계의 본질이 퀸소드이기 때문에 소드3과 소드10은 소드에서 큐피트가 연상되어 그녀만의 애정표현으로 보이는 면과 3의 완성과 10의 새로운 시작이라는 수비학을 접목해보면 만족과 풍요로움 품위를 나타내지만 또한 지나간 아픔등에서 소드10카드가 연애를 이제 그만하고 결혼을 해서 안정감을 갖는다든지 혹은 뭔가 종료하고 새롭게 시작하고 싶은 마음이 나타난다고 볼 수 있습니다.

소생불가능이라는 의미에서 불가역적이라던지 혹은 돌이킬수 없다는 의미로 확장해보면 대가를 바라거나 대가가 없이는 살 수 없는 상황이 되어버렸다는 의미도 짚어볼 필요가 느껴집니다.

4. 남편은 결혼 후 얼마 안 돼 사업에 크게 실패한 후 배를 타게 되었고 눈에서 멀어지면 마음에서도 멀어진다는 말이 있지만 이 부부는 아랑곳하지 않았고 그들의 사랑은 점점 커져갔는데 아이 욕심이 많지만 여건상 아직 아이도 하나밖에 없는 두 사람 사이에 그녀가 바라는 애정운은 앞으로 어떻게 전개 될까요?

(악마-태양-은자)

우선 가운데 19번 태양 카드에 주목할 필요가 있습니다. 태양 아래 두 아이의 만남은 서로를 바라고 살아가는 이유를 상징하고 9번 은자는 끊임없이 귀인을 기다리듯 등불을 밝히고 낭군을 기다리는 그녀의 마음을 그리고 있었습니다.
횃불을 든 15번 악마의 모습은 치열한 삶의 생존자로서, 아내와 가족에 대한 사랑이 또 다른 형태로 나타난 남편의 모습입니다. 이미 오랜 세월 두 사람 사이에는 이런 식의 삶의 패턴이 반복되어 와서 그런지 특별한 건 아니지만 가장 중요한 질문 한 가지를 해왔습니다. 그것은 바로 남편과의 사랑이 변치 않겠느냐는 것입니다. 질문이 끝남과 동시에 그녀의 큰 눈에서 굵은 눈물이 흘러내렸습니다. 내가 해줄 수 있는 답변은 그들이 만약 함께 붙어서 살았다면 이러한 사랑을 느끼기 어려웠을 것이라는 궁색하면서도 통상적인 이야기입니다. 누군가를 그리워하고 설레는 마음으로 사랑을 기다리는 그녀의 모습은 세월을 초월해 사랑의 감동을 주기에 충분하다고 볼수 있습니다.

5. 심리학과 교육학을 전공하고 아이들을 가르치는 학원 사업으로 큰 돈을 벌었다는 한 남성이 그동안 모은 돈으로 새로운 사업을 하고 싶어 조언을 얻고자 찾아왔습니다. 사업은 탈없이 잘 진행될까요?

(여왕-완드5-쏘드7-페이지쏘드)

여왕 (Queen): 여왕은 지혜, 안정, 조언, 그리고 성숙한 리더십을 상징합니다. 여왕 카드는 내담자가 이미 경험을 통해 힘을 얻었으며, 자신의 지혜와 안정성을 바탕으로 새로운 사업에 임할 준비가 되어 있다는 것을 나타냅니다. 자신의 경험과 지식을 적극 활용하고, 안정된 리더십으로 사업을 이끌어 나가야 합니다.

완드 5 (Wands 5): 완드 5는 도전, 갈등, 경쟁을 나타냅니다. 새로운 사업을 시작할 때 경쟁과 도전에 직면할 수 있음을 암시합니다. 경쟁 상황에서도 자신의 능력과 자원을 효과적으로 활용하여 경쟁력을 강화해야 합니다. 이는 시장 조사와 경쟁사 분석을 통해 경쟁 우위를 확보하는 것을 의미할 수 있습니다.

쏘드 7 (Swords 7): 쏘드 7은 혼란, 갈등, 결정의 필요성을 나타냅니다. 이 카드는 새로운 사업을 시작할 때 예상치 못한 문제나 갈등이 발생할 수 있음을 암시합니다. 하지만 이러한 문제들을 해결하기 위해 분석적이고 전략적으로 접근할 필요가 있습니다. 혼란 속에서도 당당하고 결단력 있는 선택을 해야 합니다.

페이지 쏘드 (Page of Swords): 페이지 쏘드는 새로운 아이디어, 호기심, 관찰력을 상징합니다. 이 카드는 새로운 사업을 시작함에 있어서 창의적이고 적극적인 자세가 중요하다는 것을 암시합니다. 새로운 시각과 아이디어를 적극적으로 받아들이고, 지속적으로 시장 동향을 관찰하며 자신의 사업을 발전시켜 나가야 합니다.

상담의 팁

타로 카드에서 보이는 것처럼 새로운 사업을 시작할 때 여러 도전과 갈등이 있을 수 있지만, 지혜와 안정성을 바탕으로 적극적으로 대응하고 결단력 있게 행동해야 한다는 것을 암시합니다. 또한 새로운 아이디어와 창의성을 발휘하여 자신의 사업을 성공적으로 이끌어 나갈 수 있음도 엿보입니다.

6. 직관 리딩법 (역투사법)

잃어버린물건 어디서 찾아야 하나?

행맨. 뒤로한 손은 누군가 감추고 있습니다.
죽음과 장미십자가. 자동차핸들이 있습니다.
탑은 청소하다가 쓸려나간 투사적 이미지입니다.
2완즈는 지구본과 등잔밑이 어둡다는 것을 암시하네요.
5완즈는 아이들다리. 작은책장. 다리아래를 암시합니다.

완즈여왕은 검은고양이. 믿었던 사람이 가지고 갔거나 가지고 있음
컵에이스는 분수대 옷걸이 미용실에 있음을 나타냅니다.
6컵은 시골비닐하우스를 말합니다.
7컵은 아이장난감속에서 또는 화장대 있음을 나타냅니다.
9컵는 신발의빨간 색이 보이고 바지와 신발장 사이에서 찾을수 있다는것을 나타냅니다.

7. 직장에서의 상사와의 갈등이 심한데 앞으로의 대처방법은?
(페이지완드-펜타클8-악마-절제)

페이지완드 카드 : 이 카드는 진취적인 자세와 창의성을 상징합니다. 직장에서의 문제에 대한 새로운 해결 방안을 찾아내고 시도해보는 것이 필요할 수 있습니다.

펜타클8 카드 : 이 카드는 돈과 자원, 안정성을 상징합니다. 따라서, 이 카드가 나온다면 직장에서 안정적인 지위나 수입을 유지하고자 노력하는 것이 중요합니다.

악마 카드 : 이 카드는 유혹과 열망, 중독과 강박 등을 상징합니다. 직장에서의 갈등이 심한 상황에서, 상사나 동료에 대한 강박이나 불만이 커질 가능성이 있습니다.

절제 카드 : 이 카드는 균형과 조화, 절제를 상징합니다. 이 카드가 나온다면, 갈등 상황에서 감정을 조절하고 상대방과의 대화나 타협 등을 통해 상황을 조정해 나가는 것이 중요합니다.

상담팁

페이지완드 카드와 펜타클8 카드가 직장에서 자신의 지위나 수입을 유지하는 것이 중요하다는 것을 암시합니다.
그러나, 악마 카드는 갈등이나 불만이 커질 수 있음을 나타내므로, 이 상황에서는 감정을 조절하고 상대방과의 대화나 타협을 통해 해결책을 찾는 것이 좋습니다.
절제 카드는 감정의 조절과 균형을 유지하는 것이 중요하다는 것을 상기시켜 줍니다. 따라서, 직장에서의 갈등 상황에서는 감정을 조절하고 상대방과 대화를 시도하며, 필요한 경우에는 타협이나 상황을 균형있게 해결할 수 있는 대처 방법을 모색해 보는 것이 좋습니다.

8. 집에서는 시집을 늦게 가라고 하는데 저는 빨리 시집가서 안정된 가정을 꾸리고 싶습니다. 시집을 빨리 갈수 있을까요? 그리고 하루라도 남자가 없으면 살수없는 제가 이상한 걸까요?
구체적이고 자세한 상담을 부탁 드립니다.
(오른쪽 카드) 달-세계-황제 (왼쪽카드) 악마-쏘드7-부활

먼저, 집에서 시집을 늦게 가라는 말씀을 듣고 계시다면 그 이유는 무엇인지 확인해보시는 것이 좋습니다. 가족들이 걱정해서 그럴 수도 있고, 가정 상황이나 경제적인 문제 등으로 인해 그럴 수도 있습니다. 하지만 이는 결국 당신의 선택이며, 자신의 인생을 살아가는 데 있어서 가장 중요한 것은 자신의 행복입니다.

카드 해석을 보면, 오른쪽 카드는 "달 - 세계 - 황제"입니다.
달은 내면의 불안이나 혼란을 나타내며, 세계는 목표 달성과 만족감을 의미하며, 황제는 권위나 통제력을 나타냅니다. 이를 종합해 보면, 현재 내담자는 내면의 불안과 혼란이 있지만, 자신의 목표를 이루고 만족을 느낄 수 있으며, 권위나 통제력을 가진 사람과 함께하고 싶어하는 욕구가 있다는 것을 알 수 있습니다.

그러나 왼쪽 카드를 보면, "악마 - 쏘드7 - 부활"입니다. 악마는 유혹이나 중독을 나타내며, 쏘드7은 분리와 갈등을 의미하고, 부활은 새로운 시작을 나타냅니다. 이를 종합해 보면, 내담자가 가고자 하는 방향으로 나아가려면, 유혹과 갈등을 극복하고, 새로운 시작을 하는 것이 중요하다는 것을 알 수 있습니다.

따라서, 집에서 시집을 늦게 가라는 말을 듣고 있지만, 내담자가 행복하게 살기 위해서는 결국 시집을 빨리 가는 것이 좋을 수 있습니다. 그러나 시집을 가기 위해서는 경제적인 문제나 다른 문제들도 고려해야 합니다. 이에 대해서는 가족들과 충분한 대화를 나누어야 할 것입니다.

또한, 하루라도 남자가 없으면 살 수 없다는 생각은 이상한 것이 아닙니다. 하지만 이는 자신이 혼자서도 충분히 행복하게 살아갈 수 있는 능력을 갖추는 것이 중요합니다.

9. 한번 만남을 가진 남자가 더 이상 보기 싫은데 계속 연락해오고 차단해도 다른 방법으로 자꾸 연락해 오고 귀찮게 합니다. 이 남자가 언제 떨어져 나갈지요?

(펜타클9-쏘드9-탑)

펜타클 9 카드는 타로에서 일반적으로 안정적인 상태와 자금력, 안정성을 나타내는 카드입니다. 이 카드는 현재 상황에서 당신의 안정적인 위치와 자긍심을 나타내며, 이 남자와의 관계에서도 내담자가 강한 자세를 취하고 있는 것을 보여줍니다.

하지만 쏘드9 카드는 갈등과 분쟁, 고민과 걱정을 상징하는 카드입니다. 이 카드는 이 남자와의 관계에서 여전히 불안정하고 갈등이 있을 수 있다는 것을 나타냅니다.

마지막으로 탑 카드는 예기치 못한 변화와 파괴, 큰 충격과 고통을 나타내는 카드입니다. 이 카드는 이 남자와의 관계에서 갑작스러운 종료나 큰 충격이 일어날 수 있다는 것을 나타냅니다.

따라서, 이 남자와의 관계에서 갈등과 불안정성이 지속될 가능성이 있으며, 갑작스러운 종료나 충격적인 사건이 일어날 수 있다는 것을 암시하고 있습니다. 그러나 정확한 시기는 다소 모호 합니다.
하지만 파국을 맞게되고 이별하게 되는 상황이 오게될 것을 암시합니다.
그래서 당장은 이 남자와의 관계에서 벗어나기 위해, 철저하게 연락을 차단하고 다른 대처 방법을 고민하는 것이 좋습니다. 법적 조치를 취할 필요가 있다면 변호사나 전문가의 조언을 받는 것도 좋은 선택이 될 수 있습니다.

10. 다음달에 연인이 생길까요?

다음달에 연인이 생길 가능성이 높아 보입니다. 그 이유는 컵 2 카드가 나왔기 때문입니다. 이 카드는 사랑과 관계에 대한 강한 표현으로, 내담자가 이번 달에 연인을 만나게 될 가능성이 높다는 것을 나타냅니다.

또한 에이스 7 카드는 자신감과 결단력을 나타내며, 이 카드가 나왔다는 것은 내담자가 연인을 만나게 된다면 자신감을 가지고 적극적으로 대처할 것이라는 것을 나타냅니다.

마지막으로 태양 카드는 행복하고 긍정적인 에너지를 나타내며, 이번 달에는 당신에게 행운과 행복이 찾아올 가능성이 높다는 것을 나타냅니다.

하지만 이러한 카드 해석은 그저 가능성이며, 상황에 따라 결과는 달라질 수 있습니다. 그래서 연인을 만나기 위해서는 노력과 준비가 필요하며, 올바른 선택과 결정이 중요합니다.

11. 대학에 합격하고 다이어트에 돌입한 여학생입니다. 학기 시작하기 전에 적어도 10kg 이상 빼야하는데, 성공할 수 있을까요?

현재 : 8 of Pentacles (긍정)

미래 : 5 of Pentacles (부정)

결과 : Death (긍정)

시작은 좋았지만 중간에 어려움이 닥칠 수 있습니다. 하지만 주위의 도움이나 질문자의 꾸준한 노력으로 어려움을 극복하여 긍정적인 결과를 얻게 될 것입니다.

3개 중 1개가 메이저(Death) 입니다.
그러므로 이 사건이 질문자의 인생에서 중요하다는 것을 알 수 있습니다. 여기서 가장 중요한 카드 또한 당연히 Death 입니다.
여기서 주목해야 할 것은 Death가 완전한 탈바꿈을 하는 긍정적인 뜻으로 쓰인다는 것입니다.

열심히 노력하고 있고 아직은 다이어트에 익숙해진 단계는
아니지만 굉장히 열심히 노력하고 있다고 보입니다.

8 of Pentacles(현재)
갑자기 다이어트에 몰입하면 부작용이 나기도 합니다. 배고픔 때문에 스트레스가 밀려올 수 있습니다. 급하게 서두른 탓이지요. 무엇이든 너무 성급하게 밀어붙이는 것은 육체적, 정신적으로 심한 부작용을 낳을 수 있다는 걸 잊지 마세요.

5 of Pentacles(미래)
의지가 대단하군요. 그러한 어려움을 모두 견디고 새롭게 태어난 자신을 만날 수 있을 겁니다. 과거의 태만하고 폭식하며 게을렀던 자신을 모두 버리고, 날씬하고 부지런한 새로운 자신을 맞이할 수 있을 것 같네요.

Death (결과)
새로워진 결과와 전환점과 변화된 자신을 기대할수 있을것으로 보입니다. 또한 다이어트를 이제 그만하는 시점을 맞을것으로 기대 됩니다.

12. 캘틱크로스 배열의 해석법

캘틱크로스를 배열하고 프로세서에 따라서 리딩하는 연습을 해보자.

첫 번째 카드는 질문자님의 현재 상황을 보여줍니다. 벌거벗은 두 연인 위에, 그들을 보호하고 축복하는 천사들이 있습니다. 여자의 뒤에 있는 열매나무는 '유혹'과 '인간성의 추락' 등을 상징하며, 남자의 뒤에 있는 불꽃이 피는 나무는 '정열'을 상징합니다. 그런데 카드가 역방향이 되었네요. 카드의 의미가 반대가 됩니다. 이것은 조화가 깨지거나 불안정하여 불행해 질 수 있음을 나타냅니다. 이 카드의 간략한 의미는 '거짓된 사랑', '유혹', '헤어짐'입니다.

두 번째 카드는 질문자님을 방해하는 것이 무엇인지를 보여줍니다. 한 청년이 두손으로 검을 들어올리고 있습니다. 다소 공격적인 자세의 이 청년은 계산적이고 냉정하며 분별력이 뛰어납니다. 그는 머리가 가슴을 지배하는 경향이 있어 다소 냉정하게 보일 수도 있습니다. 또 어떤 사람들은 이 청년이 지나치게 영리하다고 생각하여 경계합니다. 그런데 카드가 역방향이 되었네요. 카드의 의미가 반대가 됩니다. 소극적이고 지각없는 행동이 당신을 가로막고 있는 것으로 보입니다. 이대로 간다면 주위의 평판도 나빠질 것이고 내담자가 원하는 계획도 이루기 힘들 것으로 보입니다. 계획이나 판단을 잘 정비하고, 언제든 달려나갈 수 있는 적극적인 자세를 보여야 합니다. 이 카드의 간략한 의미는 신중하지 못한', '떨어지는 평판', '둔한'입니다.

세 번째 카드는 과거의 경험이나 과거의 기억으로서 이번 고민의 원인이나 문제의 발단을 보여줍니다. 또한, 점의 기반으로 볼 수 있습니다. 한 남자가 멈춰선 말 위에 앉아 손에 들고 있는 별을 바라보고 있습니다. 그는 믿음직하고 성숙한 사람이며 참을성이 있습니다. 그는 목표를 달성하기 위해, 시간이 아무리 오래걸려도 포기하지 않습니다. 진행 중인 일이 좀처럼 진척이 없어 힘겨운 시기를 보낸 듯합니다. 하지만 인내심을 발휘해서 계속 진행중이라면 반드시 좋은 결과가 있을 것으로 보입니다. 이 카드의 간략한 의미는 '성숙', '믿음직한', '규칙적인', '참을성 있는', '성실함' 입니다. 카드가 의미가 좋습니다. 이것은 이번 점의 내용에 긍정적인 영향을 줄 것입니다.

네 번째 카드는 최근에 있었던 사건을 보여줍니다. 이 사건은 잊고있는 중요한 기억일 수 있고, 버려야 할 집착일 수 있습니다. 여왕이 지팡이를 들고 있습니다. 그녀는 사람들에게 영감을 주며, 창조적인 재능을 갖고 있고, 자신에 대한 믿음이 있습니다. 다재다능한 그녀를 많은 이들이 부러워하고 있습니다. 그런데 카드가 역방향이 되었네요. 카드의 의미가 반대가 됩니다. 능력의 부족이라기보다는 뭔가 잘 맞지 않는 일이나 상황으로 인해서 실패를 하거나 주변의 평가가 낮아진 상황으로 생각됩니다. 아직 그 일의 여파가 남아서 당신의 마음을 괴롭히고 있는 것은 아닌지요? 이 카드의 간략한 의미는 '이해심 부족' ','정숙하지 못한', '감정에 치우침', '진실 될 필요성' 입니다. 카드가 역방향이 되었네요. 이 안좋은 카드의 의미는 이번 고민과 관련된 과거의 중요한 사건 입니다. 카드의 의미를 다시 보시면서 과거의 기억을 떠올려보세요. 이것을 통해 스스로 반성하게 되는 모습이 있거나 극복해야할 부분이 있는지 곰곰히 생각해보시기 바랍니다.

다섯 번째 카드는 고민을 해결해 나가는 과정에 대한 조언 입니다. 한 남자가 서 있고 그의 발 밑 바닥에는 3개의 지팡이가 꽂혀 있습니다. 남자의 왼편에 있는 지팡이는 그의 욕망을 나타내고, 나머지 2개는 그가 이룩한 것을 의미합니다. 그럼에도 불구하고 남자의 시선은 갈 길이 아직 먼 듯 지평선을 바라보고 있습니다. 이는 그 동안의 노력과 성취가 있기에 안정적으로 새로운 시작을 시도하기에 좋은 시기입니다. 하지만 쌓아놓은 성취라는 것이 완벽한 정도라 할 수는 없고, 새로운 시도 역시 아이디어 단계의 상태라 할 수 있겠습니다. 성취 후에 오는 허전함을 추스르고 마음 속의 갈망을 일깨워 다음 시작을 준비한다면 좋은 방향으로 나아갈 수 있을 것입니다. 이 카드의 간략한 의미는 '사업적인 수완(통찰력)', '협상', '무역', '실용적인 지식' 입니다. 카드의 의미가 좋습니다. 이번 고민을 해결하는 과정은 비교적 수월할 것 입니다. 계속 점을 진행하시어 점의 결과나 앞으로 일어날 상황들에 대한 조언을 받으시기 바랍니다.

여섯 번째 카드는 가까운 미래에 대한 조언 입니다. 여성 대사제가 흰 기둥과 검은 기둥 사이에 서 있습니다. 그녀의 뒤에는 비옥한 석류나무가 있고, 발 밑에는 초승달이 있습니다. 그녀가 손에 들고 있는 '율법'은 '정신적인 힘'을 상징합니다. 그녀는 우리에게 '진실'을 가르쳐 주는 스승입니다. 우리는 이 카드를 통해 자신의 내면을 들여다 볼 필요가 있습니다. 그런데 카드가 역방향이 되었네요. 카드의 의미가 반대가 됩니다. 문제 해결을 위한 급격한 변화나 전환점은 당분간 없을 것으로 보입니다. 고착상태가 지속되면서 답답한 상황에 놓이게 될 수 있습니다. 상황을 타개하기 위해서는 무엇보다 타인에 대한 이해와 관용이 필요합니다. 이 카드의 간략한 의미는 '겁 많은' , '천박' , '무지' 입니다. 역방향이 된 이 카드의 의미가 좋지 않네요. 질문자님의 가까운 미래에 이 카드의 의미와 같이 안좋지 일이 일어날 수 있습니다. 그러므로 대처 방법에 대해서 생각해보시기 바랍니다.

일곱 번째 카드는 타로점을 보고 계신 질문자님의 현재의 심리상태입니다. 비스듬히 기울어져 하늘을 날고 있는 8개의 지팡이가 있습니다. 그런데 카드가 역방향이 되었네요. 카드의 의미가 반대가 됩니다. 이것은 좋지 않은 흐름을 의미하는 카드가 나왔습니다. 신체적, 감정적으로 지쳐 제자리 걸음을 하게 될 수도 있고, 주변의 상황이 생각만큼 따라주지 않아 하고자 하는 일이 지지부진할 수도 있습니다. 이 카드의 간략한 의미는 '둔한' , '제자리' , '진취적 결단력의 필요성' 입니다. 카드의 좋지 않은 의미가 질문자님의 불안한 마음을 보여줍니다. 이런 감정이 고민 해결에 도움이 되지 않으므로, 떨쳐버릴 수 있도록 노력하세요.

여덟 번째 카드는 다른 사람들이 질문자님에 대해 어떻게 생각하는지를 보여줍니다. 그는 포도 농사를 하는군요. 많은 노력을 들인 끝에 드디어 성공적인 수확을 하게 되었네요. 그는 미래의 계획에 대해서도 생각하는 중 입니다. 그런데 카드가 역방향이 되었네요. 카드의 의미가 반대가 됩니다. 카드로부터 전해지는 이미지는 다음과 같습니다. 노력이 부족한, 아직 능력적으로 성숙하지 않은, 근면하지 못한, 허황된 이 카드의 간략한 의미는 '노력의 필요' , '성장의 가능성 부족' , '성공적이지 못한' , '근면의 필요'입니다.

아홉 번째 카드는 질문자님의 마음 속의 긍정적인 혹은 부정적인 생각을 보여줍니다. 성의 입구 앞에 4개의 지팡이가 서 있습니다. 지팡이의 꼭대기에는 화환이 걸려 있고 그 뒤로 꽃을 든 남녀가 환영의 뜻으로 손을 흔들고 있습니다. 아마도 저 문을 지나 성으로 들어가면 축제와 휴식을 즐길 수 있을 것입니다. 이는 무언가 준비해왔던 일이 있었나요? 그렇다면 그에 대한 보상이 다가올 듯 합니다. 또는 대인관계가 조화롭게 잘 이루어져 특별한 이벤트가 일어날 징조로 볼 수도 있겠습니다. 이 카드의 간략한 의미는 '보상' , '행복' , '낭만' , '조화' 입니다. 카드의 의미가 질문자 님의 긍정적인 심리상태를 보여줍니다. 긍정적인 마음은 고민 해결에 많은 도움이 됩니다.

열 번째 카드는 이번에 보시는 점의 종합적인 결과를 보여줍니다. 엎어져 쓰러진 남자의 등에 10개의 검이 꽂혀있습니다. 그는 되돌릴 수 없는 죽음을 맞은 것이 틀림없습니다. 그러나, 그의 뒤로는 '희망'을 의미하는 새벽이 밝아오고 있군요. '죽음'과 '새벽이 밝아오는 것'은 어떤 일이 종료된다는 의미이기도 한 반면, 새로운 시작임을 의미하기도 합니다. 본인이 안좋은 상황에 처해있다면, 새로운 희망을 받아들이도록 노력하셔야 합니다. 무언가가 끝을 맞이하게 될 듯합니다. 그것은 내담자가 의욕적으로 시작했던 사업이나 계획일 수도 있고, 오랫동안 지속되었던 인간관계일수도 있습니다. 아쉬움이나 미련이 남을 수도 있지만 돌이킬 수 없는 것으로 보입니다. 하지만 언제나 끝은 새로운 시작을 의미할 수도 있기 때문에 마냥 절망할 필요는 없습니다.

이 카드의 간략한 의미는 '파멸', '고통', '괴로움', '쓸쓸함', '폐허', '불운', '실망감' 입니다. 카드의 의미가 좋지 않습니다.

이번 고민에 대한 점의 결과가 부정적인 상황으로 보여집니다.

13. 재회운의 타로리딩 연습

상황: 이별의 통보를 받은 여성.

질문: 이미 다른 여자가 있는 전 남자친구. 재회가 가능할까요?

재회가 가능한 지 그녀의 마음에 집중하여쓰리 스프레드를 이용해서 뽑아 보았습니다.

(교황 역방향, 소드 9번 역방향, 소드 6번 정방향)

이별의 슬픔은 언제나 있기 마련이죠.

그와 동시에 재회에 대한 막연한 희망을 갖게 되는 것은 모든 커플의 마음이 되겠습니다.

세상에는 왜 이렇게 힘든 사랑이 많은 걸까요.

예시를 보겠습니다.

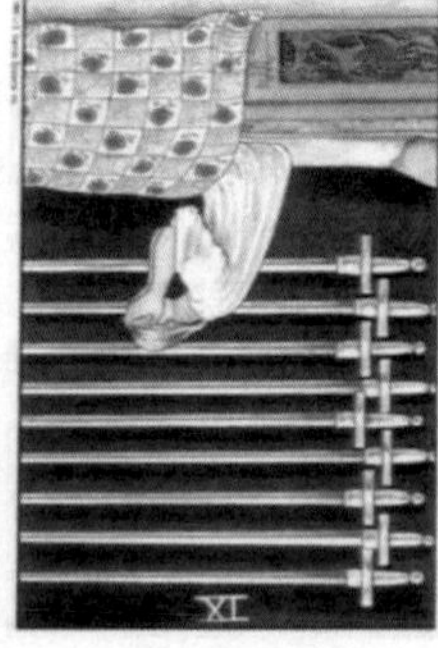

첫 번째 카드로 교황카드 역방향 입니다.

두 명의 신자가 교황을 바라보고 있습니다.

교황은 그 사람들에게 무엇인가 조언을 해주는 듯한 이미지의 카드군요.

교황은 인자하며 남들에게 도움을 주는 사람입니다.

그는 자비로우며 모든 고민을 들어 줄 것 같은 이미지의 풍기고 있습니다.
그런 교황 카드가 역방향이 되었습니다.
신도들의 믿음은 거짓 된 것이며, 교황의 말은 감언이설 뿐이었습니다.
사이비를 뜻하기도 하며, 서로에 대한 신뢰도 존재하지 않으며 더 이상 자비롭지도 않습니다.
이 카드는 이별 통보를 당한 질문자의 마음을 보여주는 카드입니다.
서로에 대한 믿음이 깨졌고 그것은 내가 당한 일입니다.
상처를 받았으며 자존심이 상해 버렸습니다.
더 이상 그는 기댈 수 있는 존재가 아니게 되어 버렸네요.
그 다음 카드는 소드 9번 역방향 입니다.
소드 9번 카드의 이미지를 보시면 한 남자가 침대 위에서 괴로워 하고 있네요.
너무 괴로워서인지 침대 밖에 나갈 수도 없어 보입니다
벽에는 칼 9개가 걸려 있습니다.
그러나 그 칼은 그를 찌르고 있지 않군요.
그것의 의미는 생각보다 상황이 괴롭지 만은 않을 수 있다는 것입니다.
또한, 상황보다는 나의 마음이 너무 괴롭다는 뜻을 가지고 있습니다.
우울감과 우울증을 뜻하며, 침대 밖으로 한 발자국 옮길 수 있는 용기만 있다면 이겨낼 수 있다는 뜻도 내포하고 있습니다.
그런 소드 9번 카드가 역방향이 되었습니다.
역방향이 되어도 그 우울감은 쉽사리 사라지지 않습니다.

이별 부터 지금 순간 까지 너무 우울했지만, 화해하고 싶어하는 마음이 있는 것입니다.
자존심이 상했고 속상했지만 그와의 화해를 원하고 있는 질문자의 모습을 담고 있습니다.
깊은 슬픔에서 빠져나와 오해를 풀고자 하는 그녀의 현재 모습이 보이네요.
그 다음 카드로 소드 6번이 나오게 됩니다.
나룻배 하나에 가족으로 보이는 사람들이 타고 건너고 있습니다.
이 카드는 이동과 변화의 카드이며 슬픈 일을 벗어나 앞으로 나아가려고 준비를 하는 카드입니다.
이 카드는 앞으로 나아간다는 뜻을 담고 있지만 이미 인생의 쓴 맛을 다 겪고 난 후에 내적발전을 이루기 위해 앞으로 나아가는 카드가 됩니다.
상황은 점점 더 좋아질 것이며 아픈 마음은 치유를 하게 됩니다.
이 카드가 애정운에서 나왔으면 좋은 카드가 될 수 있었겠지만,
재회에서 나오면 두 가지로 나뉠 수 있습니다.
다시 그와 사이가 좋아지거나 또는 그 간의 아픔을 겪었기에
그것을 훌훌 털어버리고 앞으로 나아간다는 뜻을 가지고 있습니다.
세 장의 카드는 재회운 중에서 그녀의 마음 심경 변화에 촛점을 맞추고 뽑았습니다.
이 세 개의 카드를 자연스럽게 연결하면, 그녀는 이별을 당했고 너무 괴로웠지만 다시 화해를 하고 싶어하는 마음이 생겼습니다.
하지만 그 뜻이 이루어 지기 보다는 그녀는 자신이 받은 상처를 이겨내며 앞으로 나아가게 된다는 뜻이 됩니다.

결과

그녀는 결국 재회가 되지 않았으며 그녀 스스로 다른 사람을 찾게 되었습니다.
사랑에 있어서 이전의 사랑을 완전히 끝내고 앞으로 나아가는 것만큼 인간이 성숙해질 때가 있나 싶습니다.
이별은 모두가 겪지만 자신만이 겪는 고독한 여정이 됩니다.

14. 초보로서 가게를 하나 얻어 놓고와서 타로영업을 해 보려 합니다. 타로를 펴봤어요 그곳에서 잘해 나갈수 있을까요?
(별-완드6-나이트펜타클)

별, 완드 6, 나이트 펜타클의 조합은 흥미롭습니다.
이 조합은 희망과 창의성(별), 열정과 에너지(완드 6), 그리고 실질적인 행동과 안정(나이트 펜타클)을 상징합니다. 여러 가지 방향으로 해석할 수 있지만, 가게에서 타로영업을 시작하는 데 도움이 될 수 있는 메시지들을 포함할 수 있습니다.

희망과 창의성: 별 카드는 새로운 시작과 긍정적인 변화를 상징합니다. 이는 가게에서 타로영업을 시작하는 것 자체가 새로운 기회를 열고 새로운 아이디어를 탐색한다는 것을 의미할 수 있습니다.

열정과 에너지: 완드 6은 열정적인 의지와 에너지가 있는 상황을 나타냅니다. 이는 타로영업에 대한 열정과 원동력을 강조할 수 있습니다. 이 의지와 에너지를 가지고 가게에서의 타로영업에 대해 진심으로 투자할 준비가 되었다는 것을 나타낼 수 있습니다.

실질적인 행동과 안정: 나이트 펜타클은 실용적이고 안정된 행동을 상징합니다. 이는 타로영업을 위해 필요한 조심성과 계획성을 강조할 수 있습니다. 그것은 단순히 열정만으로만 이뤄지는 것이 아니라, 실질적인 노력과 안정된 전략이 필요하다는 것을 암시할 수 있습니다.

이 조합은 가게에서의 타로영업을 시작하는 것이 매우 유망하다는 것을 시사합니다. 희망과 창의성으로 새로운 시작을 마음에 품고, 열정과 에너지를 가지고 이를 실현시키기 위해 행동할 준비가 되어 있습니다. 또한, 실질적인 계획과 안정성을 유지하면서 노력하는 것이 성공에 더 가까워질 것입니다. 계속해서 자신을 믿고 진행해 나가세요.

15. 회사에서 자리이동이나 인사이동등의 변동수가 있을까요?
(페이지펜타클-소드4-펜타클7)

페이지 펜타클: 페이지 카드는 새로운 시작과 학습의 단계를 나타냅니다. 회사에서의 자리이동이나 인사이동은 새로운 환경과 책임을 맡게 될 수 있음을 시사할 수 있습니다. 또한, 새로운 부서나 프로젝트에 참여하게 되는 등 새로운 기회를 제공할 수 있습니다.

소드 4: 소드 4는 변화와 도전에 대한 경고를 내포하고 있습니다. 이는 자리이동이나 인사이동과 같은 변동성이 예상치 못한 도전이나 어려움을 동반할 수 있다는 것을 나타낼 수 있습니다. 새로운 환경이나 책임에 적응하는 데 어려움을 겪을 수 있지만, 이를 극복하고 성장할 수 있는 기회가 될 것입니다.

펜타클 7: 펜타클 7은 안정성과 자본을 나타냅니다. 변동성과 도전에도 불구하고, 회사 내에서의 변동은 안정된 결과를 가져올 수 있음을 나타낼 수 있습니다. 새로운 위치나 역할은 장기적으로 회사나 개인에게 이익을 가져다 줄 수 있으며, 더 나은 경제적 안정을 제공할 수도 있습니다.

상담팁

회사에서의 자리이동이나 인사이동과 같은 변동성은 어렵지만 이러한 변화는 새로운 기회와 함께 성장과 안정성을 제공할 수 있다는 것을 시사합니다. 새로운 도전에 대해 열린 마음으로 접근하고, 어려움을 극복하며 성장하는 데 주저하지 마세요.

16. 매직세븐 스프레드를 리딩해 보자.

제가 하고자 하는 일이 있는데 앞으로 어떻게 될지 모르겠어요. 새로 일자리를 등록하려고 학원도 알아보고 눈여겨 보는 일자리와 강좌가 있는데요. 제가 생각하는대로 잘 될까요?

타로배열법은 리더가 상황과 질문에 따라 임의적으로 자리를 변경할 수 있습니다.

예시로 가져온 매직세븐 타로스프레드도 마찬가지입니다.

원래 자리와 의미가 다를 수 있습니다. 5번은 외부상황적인 상황, 6번은 본인은 어떻게 하고싶은지 속으로 바라는 것으로 해석했습니다. 아래 편집한 배열법 이미지에서는 6번이 '내면적인'이라고 작성되어 있으나 타로해석에서는 내면적으로 본인이 바라는 것입니다. 매직세븐에 조언카드(펜타클5)을 추가했습니다.

현재 본인도 이게 맞는지 계속 긴가민가하면서 고민하고 있는데

이 고민은 쉽게 끝나지 않겠네요. 외부에서 오는 압박과 장애물을 떠나 본인의 마음이 갈피를 못 잡고 있으니까요. 칼은 본인이 쥐고 있어요. 즉, 이 고민의 답은 본인이 제일 잘 알고 있으니 더 이상 망설이지 말아야 합니다. 되풀이하며 고민을 해도 실상 달라지는 점은 없고 제자리 걸음 느낌이 들어요. 이럴 땐 후회를 하든 안하든 시도해 보는 것이 좋습니다.

자신의 분야에서 능력이 있는 사람이라서 원하는 목표를 성취할 거예요 그러나 지금은 역량을 발휘해 뽐낼 수 있는 시기가 아니라서 본인이 어떤 선택을 해도 브레이크가 걸리고 있어요. 너무 걱정하지 말아요. 마음을 굳게 먹고 꿋꿋하게 이 시간을 인내할 수 있는 내담자님이거든요. 가까이서 볼때는 투닥이며 갈등에 갈등이 또 생기는 답답한 상황일 수 있지만 감정에 휘둘리지 않고 상황을 똑바로 본다면. 질문자에게 도움이 되는 해결방안이 분명히 곁에 있어요.

완드5는 편하하기 위해 싸우는 카드가 아니라 더 좋은 상황을 만들어내기 위해서 자신들의 의견을 내세우기 때문이에요. 너무 고민하지 말고 본인이 하고자 하는 걸 하세요. 아버지가 반대하시는 것같은데. 서로 자신의 생각과 감정을 내세우지 말고 설득해 보세요.

가까운 곳에서 도움을 받을 수 있는 카드가 반복해서 나오는데. 혹시 몰라요. 반대를 하던 아버지가 도와주실 수 있고 본인은 생각치도 못한 곳에서 방법을 찾을 수 있어요. 현재 돈이 부족해서 금전적인 투자는 무리인 것 같으니 이 점은 참고해 보시면 좋겠습니다.

17. 직장 동료 입니다. 상대방이 저를 어떻게 생각하는 지 궁금해요. 그 둘은 직장에서 만났습니다. 사귀는 듯 하지만 사귀는 사이는 아니고 도무지 알 수 없는 관계이기에 상대방이 자신을 어떻게 생각하는 지 궁금하다는 상황입니다.

(펜타클 8번, 완드 퀸, 그리고 펜타클 9번)

첫 번째로 펜타클 8번.
펜타클 8번은 열심히 일 하는 카드이자 성실히 일하는 카드입니다.
성실히 자신의 일을 해나가며 부지런한 노동으로 임금을 얻는 모습입니다.
이 카드만을 보면 그녀의 이미지는 열심히 일하는 사람.
일하는 사람의 모습은 직장에서 볼 수 있는 모습이죠.
말 그대로 일을 열심히 하는 직장 동료의 모습으로 비춰지는 것으로 나타납니다.

다음 카드는 완드 퀸 입니다.
카드 이미지를 보면 여왕의 당당히 옥좌에 앉아 주위를 살피고 있네요.
그녀의 자태에서는 권력적인 모습이 보입니다.

이 카드는 커리우먼의 카드입니다.
그녀는 연약하고 수동적인 이미지의 여성은 아니며 자기 스스로 권력을 쟁취하며 능동적으로 일을 처리해 나가는 이미지 입니다.
말 그대로 상대 남자에게는 그녀의 모습이 당당한 커리우먼으로 비춰지고 있습니다.

마지막 카드는 펜타클 9번 입니다.
한 여성이 한 손에는 새를 들고 열매가 가득한 정원을 어루만지고 있네요.
풍요롭고 안정적인 분위기가 돋보이는 카드입니다.

펜타클 9번은 성공과 풍요로움의 키워드를 가진 카드입니다.
카드 속 여성은 가진 것이 많을 뿐더러 혼자 있는 것에도 강해 보입니다.
그녀의 표정은 사색에 빠진 듯, 혼자 있으면서도 외로워 보이지 않네요.

펜타클 9번의 여성이 주는 이미지처럼,
그녀는 남들과 함께하지 않아도 충분히 안정적이며 이미 많은 것을 이뤄 놓은 모습으로 비춰지겠네요.

여기서 완드 퀸과 펜타클 9번의 여성이 보여주는 동일한 이미지는 혼자서도 일을 잘 해내가는 이미지로 비춰집니다.
두 여성 모두 어느 정도의 권력이나 부도 축적을 해 놓은 상태입니다.
안정적인 생활을 하고 있음으로 비춰집니다.

완드 퀸과 펜타클 9번이 주는 동일한 이미지는 커리우먼이 되겠습니다.
거기에다 펜타클 8번이 더 해져서 성실히 자기 할 일을 잘하며
혼자서도 잘 해내갈 수 있는 강함도 갖고 있습니다.

세 개의 카드 모두 혼자 있어도 쓸쓸한 카드는 아닙니다.
오히려 자기 할 일을 해나가며 앞가림을 잘 하는 것으로 보이네요.
그녀는 능력적인 면에서 경력도 꽤 있으면서 직장 내에서 그녀의 입지도 무시하지 못 할 수준일 것입니다.
거기에다가 성실하고 쌓아놓은 것도 많은 이미지로 정리할 수 있겠네요.

세 장의 카드 모두 그녀의 커리어나 능력에 촛점이 맞추어져 있네요.
남자는 그녀를 일 잘하고 멋진 여성으로 보고 있기는 하나 사랑의
눈길로 바라보는지는 분명하지 않습니다.
그녀의 이미지는 매력보다는 일에 촛점이 맞추어져 있기에
어쩌면 그는 그녀의 능력을 더 눈여겨 보지 않나 싶네요.

다른 관점으로 보면,
남성분이 능력이 많은 여성에게 호감이 있는 것일 수도 있겠네요.

18. 양자택일 타로카드 리딩법

둘 중 하나를 선택해야만 하는 상황에서 사용되는 배열법입니다.
선택 후에 일어나는 자세한 진행 과정과 결과를 볼 수 있습니다.

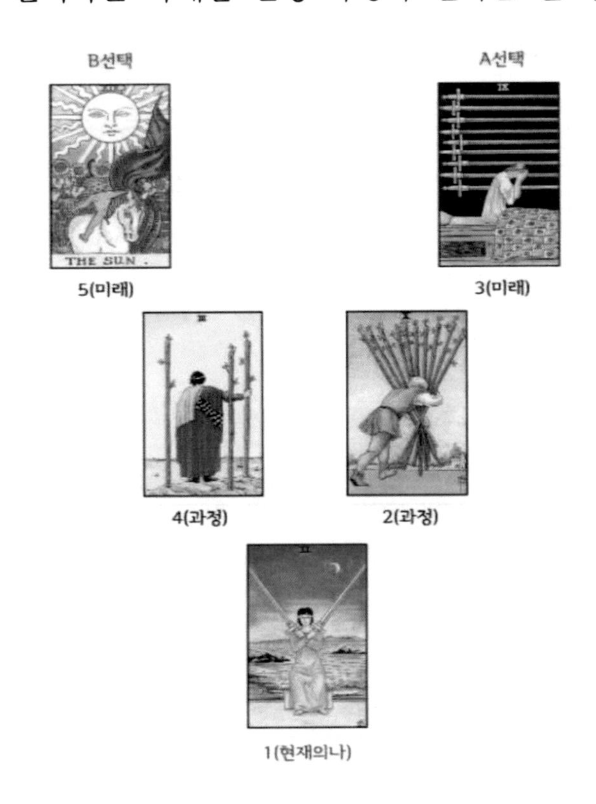

양자택일 선택법은 A와 B를 각각 선택했을 때의 과정과 결과를
보여주는 배열법입니다.

A.선택
현재의 나 (SWORDS 2): 어느 쪽 회사를 선택 할지 고민하는 마음
과정 (WANDS 10): 과도한 업무로 힘들고 지쳐가는 모습
미래 (SWORDS 9): 스트레스가 많아지고 불면증에 시달린다.

B.선택

현재의 나 (SWORDS 2): 어느 쪽 회사를 선택 할지 고민하는 마음
과정 (WANDS 3): 회사와 함께 성장할 자신의 미래를 설계한다.
미래 (THE SUN): 직장에서 인정받고 즐겁게 일하는 모습

선택하기 힘든 고민이 있을 때 양자택일 배열법으로 해결 할 수 있습니다.

19. 공직시험을 준비하고 있는 청년학생 입니다.

그동안 각종 시험에도 응시해서 몇번 고배를 마셨는데요 나름대로 열심히 공부하고 있지만 몇번 떨어지고 나니 자신감도 상실하고 학습 능률도 오르지 않습니다.

제가 왜 이런것이며 앞으로 어떻게 해야할지 심리상담을 좀 부탁 드리겠습니다.

(탑-데빌-여사제)

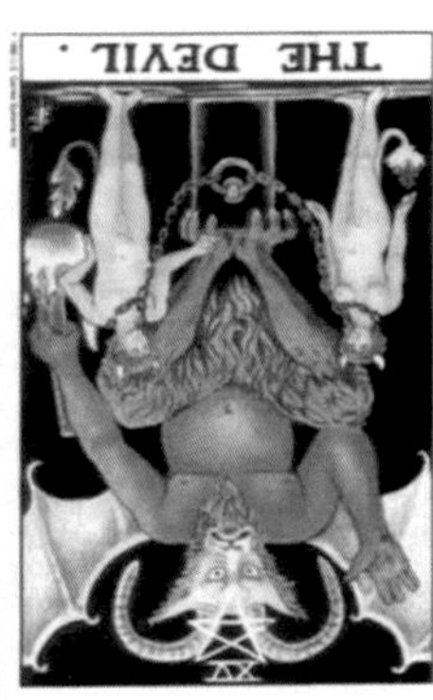
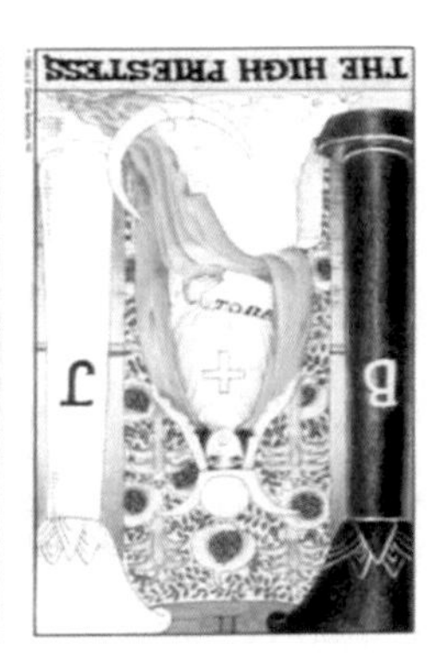

현재 내담자는 중대한 실수을 범하지 않았는가 점검해봐야 합니다. 현실적으로 해석을 한다면 카드는 숨겨 두웠던 비리가 드러나거나 상대방의 양면적인 태도에 불편함을 느끼고 있는 당신을 표현할 수도 있으며 반대로 내담자의의 그러한 행동이 좋지 않은 결과을 불러 올 수 있음을 의미합니다.

이중적인 것들이 표출 됨으로 숨기고 있는 것이 있다면 자신 스스로가 먼저 밖으로 들어 내는 것은 어떨지. 좋은 의미로는 잘못된 관습이나 억메여 있던 구속에서 벗어 나는 것을 의미하고 잘못된 가치관이나 공부를 벗어나 구조와 방식을 해체하고 새로운 것을 받아 들이거나 바꾸는 의미을 가지게 됩니다.

만약 내담자의 사고나 인습 자체가 문제점이 있지 않나 하고 되돌아 보는 시간을 갖는 다면 좀 더 발전 할 수 있는 기회을 얻게 될 것 입니다. 현재 직업을 얻고자 하는 사람이라면 한동안 어려워짐을 의미합니다.

현재 내담자의 공부는 침체된 상황이라고 암시하고 있습니다. 그러나, 이 모든 것이 이유가 있는데 내담자의 잘못된 대인관계로 인해 발생한 것은 아닌지 생각해 보아야 할 것 같군요.

미래에 목표만 설정하고 자신의 이익만을 생각할 줄 알았지 주위을 돌아 보는 일은 부족하지 않았다고 보이는군요.

그리고 규칙없는 생활에 염증을 내어 내담자는 다른 직업을 모색할 지도 모릅니다.

그렇다면, 지금이 적절한 시기이니 단행해도 좋을 것 같습니다. 집중력이 부족해 지고 새로운 아이템이 나타나지 않으니 현재의 상황을 과감히 탈피하여 새로운 직업에 도전해 보는 것은 어떨는지 조심스럽게 말씀을 드려봅니다.

내담자는 현재 딜레마에 빠져 산만해 지며 집중이 잘 되지 않고인간관계에서도 오묘하고 복잡한 감정들로 인해 조직 생활에서의 이탈을 의미합니다.

심지어는 탈선을 생각해 보기도 하겠군요.

변덕스러운 기질이 심해지며 타인으로 부터 질타을 받게 되기도 하니 주의하지 않으면 안 될 것입니다.

경쟁자가 있다면 그는 이미 당신보다 월등한 자질과 위치에 있으므로 내담자는 상대가 되지 않을 것 입니다.

주위로 부터 인정 받기 힘든 시기이니 경쟁에서는 밀린다고 생각됩니다. 이로인해 위축감에 있겠으며 생각이나 사고들은 고정관념에서 벋어 나지 않고 있을 것 입니다.
새로운 시도와 자신의 내면속의 두려움에서 부터 벗어 나지 않는다면 당신의 사고는 계속 침체의 늪에서 빠져 나오기 힘들 것 같군요.
공부에서 벗어나 새로운 체험과 방향을 모색해 볼 필요가 있습니다.

21. 직장에서 무리없이 퇴사를 잘 할 수 있을까요?

(악마, 소드9, 완드9, 마법사, 페이지 완드, 데쓰)

내담자는 능력도 있고 회사에서 인기도 많습니다

최근에 무슨 안 좋은 일이 있었는지 그 상황에 대해 부정적인 생각과 마음이 계속 남아 있습니다.

마음이 불안하고 벗어나고 싶은 상태인데 마침 다른 곳에서 매력적인 제안이나 말들이 있었나 봅니다.

하지만 퇴사를 쉽게 할 수 있는 상황은 아닙니다.

그동안 해왔던 일들이나 상황에 갇혀있고 개인적으로도 적극적으로 퇴사를 주장할 수 없는 상황입니다

그래서 이러한 소극적인 행동이나 가로막고 있는 일들을 버리지 않으면 그냥 계속 다니게 될 수도 있습니다.

22. 앞으로의 연애운은 어떤가요?
(달-펜타클3-쏘드2)

달 카드 : 달은 감성과 무의식적인 부분을 상징합니다. 이 카드가 나온다면, 상황이 확실하지 않은 상태에서의 연애가 될 가능성이 있습니다. 불안정하고 불명확한 상황에서 발전해 나가는 연애일 수 있습니다. 또한, 감정이나 직관적인 면에서 많은 이슈가 발생할 수 있습니다.

펜타클3 카드 : 이 카드는 안정성과 실용성을 상징합니다. 따라서, 연애 상황이 좀 더 안정적이고 구체적인 방향성이 생길 가능성이 있습니다. 이 카드는 또한, 재물이나 안정적인 환경을 추구한다는 의미가 있으므로, 긍정적인 연애 전망이라고 해석할 수 있습니다.

쏘드2 카드 : 쏘드 카드는 머리로 생각하고 판단하는 면을 상징합니다. 이 카드가 나온다면, 상황을 분석하고 판단해야 할 필요성이 있음을 암시합니다. 또한, 카드 안의 2개의 칼은 분리와 결별을 나타내므로, 이 카드는 연애에서 갈등이나 이별의 가능성을 의미할 수 있습니다.

상담팁

달 카드와 쏘드2 카드가 부정적 요소를 나타내지만, 펜타클3 카드의 긍정적인 영향력이 함께 작용하므로, 연애는 상대적으로 안정적이고 실용적인 방향으로 나아갈 수 있습니다. 그러나, 갈등이나 이별의 가능성도 존재할 수 있으므로, 상황을 신중히 판단하고 대처하는 것이 중요합니다.

23. 직장에서의 상사와의 갈등이 심한데 앞으로의 대처방법은?
(페이지완드-펜타클8-악마-절제)

페이지완드 카드 : 이 카드는 진취적인 자세와 창의성을 상징합니다. 직장에서의 문제에 대한 새로운 해결 방안을 찾아내고 시도해보는 것이 필요할 수 있습니다.

펜타클8 카드 : 이 카드는 돈과 자원, 안정성을 상징합니다. 따라서, 이 카드가 나온다면 직장에서 안정적인 지위나 수입을 유지하고자 노력하는 것이 중요합니다.

악마 카드 : 이 카드는 유혹과 열망, 중독과 강박 등을 상징합니다. 직장에서의 갈등이 심한 상황에서, 상사나 동료에 대한 강박이나 불만이 커질 가능성 이 있습니다.

절제 카드 : 이 카드는 균형과 조화, 절제를 상징합니다. 이 카드가 나온다면, 갈등 상황에서 감정을 조절하고 상대방과의 대화나 타협 등을 통해 상황을 조정해 나가는 것이 중요합니다.

상담팁

페이지완드 카드와 펜타클8 카드가 직장에서 자신의 지위나 수입을 유지하는 것이 중요하다는 것을 암시합니다.
그러나, 악마 카드는 갈등이나 불만이 커질 수 있음을 나타내므로, 이 상황에서는 감정을 조절하고 상대방과의 대화나 타협을 통해 해결책을 찾는 것이 좋습니다.
절제 카드는 감정의 조절과 균형을 유지하는 것이 중요하다는 것을 상기시켜줍니다. 따라서, 직장에서의 갈등 상황에서는 감정을 조절하고 상대방과 대화를 시도하며, 필요한 경우에는 타협이나 상황을 균형있게 해결할 수 있는 대처 방법을 모색해 보는 것이 좋습니다.

24. 제가 사귀고 있는 그 사람과 결혼할수 있나요?
(악마-완드2-세계)

 악마 카드는 유혹과 인기, 유혹에 빠지기 쉬운 상황을 나타낼 수 있습니다.
완드2는 열정과 야망을 나타내며, 세계 카드는 완성과 성취를 나타냅니다.
따라서, 이 카드 조합에서는 악마 카드가 우선하는 것으로 보이며, 결혼이나 장기적인 관계에서 당면할 수 있는 어려움을 시사할 수 있습니다. 하지만, 세계 카드의 등장은 완성과 성취를 나타내므로 이러한 문제를 극복할 수 있다는 희망을 보여줍니다.

상담팁
결혼이 가능하다는 것을 완전히 배제하지는 않지만, 결혼 생활에서 어려움이 있을 수 있다는 것을 암시할 수 있습니다. 이는 단지 가능성일 뿐이며, 본인들의 믿음을 선택하고 행동하는 방식에 달려 있습니다.

25. 복잡한 상황이에요. 좋아하는 사람이 있는데 더 이상 좋아할 수 없을 것 같아요.

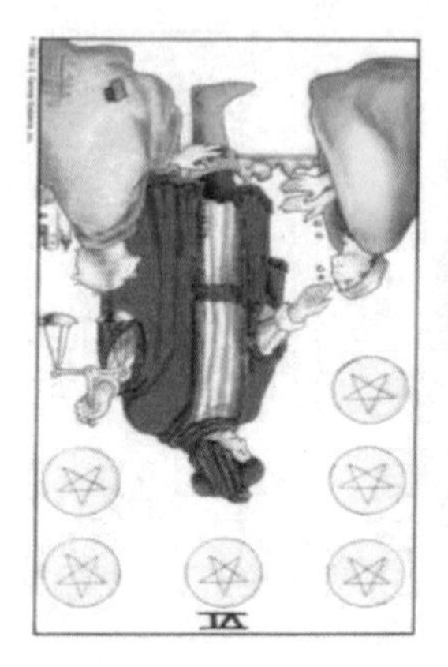

좋아하는 사람이 있는데 멈춰야 한다니. 오묘한 그녀의 질문에 그녀의 상황 카드를 뽑아 보았습니다.

카드를 한 장 뒤집으니 **펜타클 6번 역방**향이 나왔네요.

잘 이해가 되지 않아서 한장을 더 뽑았습니다.

두번째 카드로는 **펜타클 5번 역방향**이 나왔네요.

직관적으로 보았을 때 그녀가 상대를 동경하고 있다는 점과 재정적으로 더 이상 좋아할 수 없다는 점이 보였어요.

그림을 보시면 한 남자가 두 명의 걸인에게 돈을 나눠 주는 모습입니다.

한 손의 든 저울은 누구를 더 편애하지 않고 공평하게 나눠준다는 의미를 갖고 있어요. 그런데 이 카드가 역방향이 되었네요.

자기 사정 생각 못하고 너무 많이 나눠주어서 낭비가 된 것일수도 있어 보이네요.

그리고 이 카드에서 그녀의 존재가 나눠주는 사람이 아닌 두 명의 걸인이 되어 **누군가를 동경하고 우러러 본다는 느낌입니다.**
그러나 돈을 나눠주는 사람은 나에게만 사랑을 베풀어 주는 것이 아닌 모두에게 공평하게 나눠주는 존재네요.
이 카드로 알아 낸 점은 **상대는 모두가 동경하는 사람**이 아닐까 짐작이 가게 합니다.

펜타클5는 두명의 사람이 혹독한 눈보라를 맞으며 걸어가고 있는 모습입니다.
눈보라도 치는데 남자는 다리까지 다쳤군요.
게다가 그들이 지나치고 있는 곳은 교회로 보입니다.
교회는 모두에게 도움을 주는 열린 공간이지만, 그들은 그저 지나칩니다.
주위의 도움을 보지 못하고 지나친다는 뜻의 카드이며 **가난과 포기의 키워드**를 갖고 있는 카드입니다.
펜타클 5번은 역방향이 되어도 가난에서는 쉽게 벗어날 수가 없습니다.
재정이 더 나아지던가 더 나빠지던가 하는 변화가 찾아 오게 됩니다.
정방향에서는 포기의 의미를 가지고 있지만 **역방향이 되자 포기하는 마음이 다시 되살아나는 듯한 느낌**도 받습니다.
그녀 자신의 애정선에 심적으로든 물질적으로든 큰 변화가 있어 보입니다.

상담팁

재정적으로 문제가 생겨서 더 이상 좋아할 수 없는 것 같네요.
본인이 상대방을 동경하고 계실 것 같아요.
그리고 그 상대에게 돈을 많이 쓰셨네요.
그런데 본인 입장을 생각 못하고 이것 저것 낭비를 해버려서
재정적으로 문제가 생겼네요.
좋아하는 마음을 포기하겠다고 생각했지만 다시 포기하지 말까 하는
마음도 드네요.
그녀는 자신이 아이돌의 팬이라고 대답했습니다.
그러나 더 이상 돈을 버는 신분이 아니라서 이것 저것 상품을 살 수
없다고 했어요.
그리고 다른 할 일이 생겨 시간적인 여유도 사라졌다고 하네요.
포기하겠다고 생각 했지만 쉽사리 포기가 안된다고 하더군요.
펜타클은 재정적인 것과 관여하는 물질로써 그녀가 돈 때문에 더
이상 사랑 할 수 없다는 점이 안타까운듯 합니다.

26. 제 금전운이 궁금해요. 직장을 옮길 지 고민도 듭니다.

(완드 9번, 컵 기사 역방향, 그리고 완드 6번)

과거-현재-미래 순으로 뽑았어요.

완드 9번부터 보도록 하겠습니다.

카드를 보시면 한 남성이 지팡이 하나를 짚고 보초를 서 있습니다.

그의 뒤에는 완드 8개가 서 있습니다.

그의 모습은 언제 든지 싸울 준비를 할 수 있도록 경계의 태세를 갖고 있네요.

완드 9번은 투쟁을 많이 치른 상태입니다.

하지만 자신의 영역을 잘 지키고 있으며, 마지막 단계에 돌입한 상황입니다.

그러므로 완드 9번은 인내를 요구하는 카드가 됩니다.

싸워 이겨야 하는 상황이며 아직 견딜 수 있는 힘이 있는 카드입니다.

완드 9번이 과거 카드에 나왔습니다.

질문자는 힘들지만 열심히 일을 해 왔고 많이 지쳐있지만 그래도 계속 버티고 있던 상황이었던 것입니다.
이 카드가 금전운을 만나면 금전적인 여유가 많은 것은 아니지만
자신의 몸 하나 건사할 정도로 잘 있다는 뜻이 되겠습니다.
그리고 이 카드는 금전적인 어려움이 서서히 나아져 간다는 뜻도
됩니다.
심신은 지치고 고달프지만, 금전적인 문제가 해결이 된다는 뜻을
담고 있습니다.

그 다음 현재 카드인 컵 기사 역방향 카드입니다.
기사가 말 위에 올라 한 손에는 컵을 들고 있네요.
기사와 말은 천천히 앞을 향해 가고 있습니다.
컵 기사가 정방향이었을 때는 좋은 소식이 온다는 뜻을 담고
있습니다.
카드를 보시면 컵 기사가 컵을 들고 어디론가 향하는 모습인데
그 모습에서 좋은 소식이 온다는 뜻도 되고 금전적으로 좋은 새로운
제안이 온다는 뜻을 담고 있습니다.
안정적이며 금전적으로 원활한 카드입니다.
그런 컵 기사 카드가 역방향이 되었네요.
새로운 제안은 오지 않고 자금력도 원활하지 못하고 있는 상황입니다.
현재 질문자는 자금력이 원활하지 않은 상태이기에
그는 직장을 옮길지에 대해 고민을 하고 있다고 했습니다.

그러나 자칫하면 인간관계에서도 손실이 올 수 있는 카드입니다.

자금도 원활하지 않은데, 버는 돈보다 쓰는 돈이 물 처럼 샐 수 있음을 주의해야 합니다.

마지막인 미래 카드에서는 완드 6번이 나왔습니다.
한 남성이 말 위에 앉아 한 손에는 화관이 달린 지팡이를 들고 나아가고 있네요.
그의 머리에도 역시 화관이 올려져 있습니다.
그 주위에는 사람들이 몰려 있습니다.
그를 축하하는 듯한 모습이군요.
완드 6번은 현재 자금력이 원활하지 않은 그에게 좋은 소식을 불어다 줄 카드입니다.
발이 묶인 컵 기사 역방향과 다르게 완드 6번의 모습처럼 먼곳에서 수익이 생길 수 있습니다.
거기에다가 상황까지 유리하게 변해 가고 있습니다.
이 카드는 컵 기사의 정방향 뜻처럼 새로운 제안이 올 수 있는 카드이며, 직장을 옮기면 수익이 생길 수 있다는 뜻이 되겠습니다.
새로운 일에 대한 좋은 예감을 말해주는 카드이며 그것을 쟁취할 수 있다는 뜻을 가지고 있습니다.

27. 얼마 사귀지 않은 남자친구가 있습니다. 그가 저를 어떻게 생각하는지, 그리고 앞으로 어떻게 생각할 지 궁금해요.

(페이지 컵 역방향, 펜타클 2 번, 달 카드)

과거 카드는 페이지 컵 역방향이 나왔습니다. 그녀와 그가 만나서 사귀게 되는 과정이 페이지 컵 역방향에 담겨 있습니다. 페이지 컵은 감성이 여린 소년입니다. 페이지(Page)가 의미하는 것은 어린 사람, 경험이 없는 사람, 막 시작한 사람을 뜻합니다.페이지 컵이 담고 있는 기본 키워드는 그에 맞게 뭔가를 시작하는 사람이 됩니다. 그러나 페이지가 감정을 뜻하는 컵과 만나서 감성이 여리며 상처를 잘 입는 인물이 됩니다.

페이지 컵은 수줍은 사람이며 감수성이 풍부한 사람입니다. 감수성이 풍부하기에 감정 표현도 다양하며 대체로 페이지 컵이 가리키는 인물은 여린 마음을 가지고 있고 페이지 컵은 감성적이어서 눈물이 많은 사람입니다. 또한 섬세해서 작은 것에도 예민한 사람이기도 합니다. 이 페이지 카드가 역방향이 되었네요. 페이지 카드가 역방향이 되자 그의 풍부한 감수성과 여린 마음으로 문제가 되었습니다. 그가 그녀와 사귀게 된 계기는 거절하지 못하는 마음이었을 겁니다. 적극적인 쪽은 여성이었을 것이며 페이지가 의미하는 것처럼 그는 여자에 대한 경험이 적어 거절하는 것도 쉽사리 하지 못하였을 것이고 말 그대로 어쩌다 보니 사귀게 된 케이스 였을 것으로 추정됩니다. 그녀에 대한 감정이 첫 눈에 반했다는 느낌이 들지 않는군요. 그녀의 모습이 자신의 이상형은 아니었을 겁니다. 그러나 그의 입장에서 그녀가 먼저 다가왔으며 자신은 거절은 못하겠고, 오히려 먼저 다가 온 것에 대해 매력을 느꼈을 것입니다.

그리고 현재를 뜻하는 카드에서는 펜타클 2번이 나왔군요. 남성이 두 개의 펜타클을 들고 저글링을 하는 듯한 모습입니다. 두 개의 펜타클의 조화를 맞추며 어느 한쪽에 무리가 가지 않게 시소처럼 균형을 맞추려고 하고 있습니다. 그러나 그런 그는 펜타클에만 집중한 나머지 주위는 둘러보고 있지 않군요. 그의 뒷 배경에는 바다가 보입니다. 바다에는 파도가 무섭게 넘실거리고 있습니다. 바다 위에 있는 배들이 위태로워 보이네요. 펜타클 2번은 균형을 맞추기 위해 노력하는 카드입니다. 또는 두 개의 펜타클 사이에서 고민하는 것일 수도 있습니다. 현재 그는 그녀를 자신의 여자친구로 받아들였지만 확신이 서지 않는 것입니다. 다른 여자들도 그들만의 매력이 있고 그는 어쩌다 사귀게 된 그녀와 다른 기회 사이에서 고민을 하고 있는 것입니다. 거기에다가 펜타클 2번은 이것 저것 신경 쓸 것이 많은 상황입니다. 머릿속은 복잡한고 일도 해야하고 돈도 벌어야 하는데 연인에게도 맞춰줘야 합니다. 이것은 어쩔수 없이 연인에게 억지로 맞춰주는 꼴이며 본인은 그리 즐겁지 않은 상황입니다.

미래 카드 자리에는 메이저 18번 달카드가 나왔네요. 달 카드 역시 좋지 않은 카드입니다. 달 카드의 이미지를 보면 두 마리의 강아지가 달을 향해 있네요. 달을 향한 강아지들의 표정이 좋지 않습니다. 경계를 하는 듯 하며, 달의 표면에 존재하는 표정도 근심에 가득 차 보입니다. 달 카드의 키워드는 불안과 의심입니다. 갈등하며 혼란스럽고, 의심스러운 상황인 것입니다. 카드가 주는 느낌이 현재 카드로 나온 펜타클 2번과 유사하지 않나요? 펜타클 2번도 갈등을 하는 것이며 좀처럼 고민에서 나오지 못하는 카드인데 미래 카드에 달 카드가 나오면서 그것이 이어지게 되겠습니다. 그는 그녀가 자신의 짝이 맞는지 의심을 하게 될 것이고 그녀를 사랑하는지 의심을 하게 될 것입니다. 아직은 괜찮을 수 있지만 스스로가 의구심을 떨치지 못할 것이며 잠재적인 이별의 위기도 가지고 있는 것이 달카드입니다. 또한, 달 카드는 바람에 관여하는 카드이기도 합니다.

바람을 피우기 위해 연인을 속일 수도 있으며 달 카드가 기본적으로 가진 의심이라는 키워드는 자신의 애인이나 배우자에 대한 의심이 되는 것이죠. 무엇이 되었든 이 카드가 미래에 위치하고 있어 얼마 시작하지 않은 관계가 위태롭다는 것을 알 수 있었습니다.

상담팁

 둘의 관계는 기반부터가 튼튼하지 않았습니다. 여자가 다가갔고 남자는 거절하지 못하여서 시작한 관계이기 때문이죠. 그러다가 현재는 어쩔 수 없는 관계에 어쩔 수 없이 연인에게 맞춰주며 즐겁지 않습니다. 그리고 또한 그녀가 자신의 베필이 맞는지도 의심을 하는 상황이 이어지고 그것이 미래까지 이어지게 되는 것이죠.남성은 미래에 바람을 피울 가능성도 존재하며 의구심을 쉽사리 떨칠 수 없습니다. 이별까지 이어질 수 있는 안타까운 상황이며 둘 사이에는 진심어린 대화가 필요해 보입니다.

피드백결과 본인이 먼저 적극적으로 다가간게 맞고 남자는 적극적인 자기 모습이 좋아서 사귀게 되었다고 합니다. 그러나 남자의 직업 특성 상, 너무 바빠 둘은 연락을 자주 못하고 거기에다가 그 남자 주위에는 여자가 많다고 합니다. 결국 둘은 트러블이 잦아지고, 이별을 맛보게 되었다고 합니다.

28. 앞으로의 금전운이 어떻게 전개될까요?
(퀸쏘드-완드7-펜타클9)

퀸 오브 소드 카드는 지성, 분별력, 현명함을 나타내며, 완드 7은 열정, 도전, 성장을 나타냅니다. 그리고 펜타클 9는 안정성, 안락함, 물질적인 안녕을 나타냅니다.
이 카드들을 종합해보면, 앞으로의 금전운은 현명하게 생각하고 분별력을 가지며, 새로운 도전을 받아들이면서도 안정적으로 성장하고 발전할 가능성이 있습니다.

하지만, 퀸 오브 소드와 완드 7이 함께 나타나면, 금전적인 도전이나 갈등이 있을 수 있으며, 이를 극복하기 위해서는 현명하게 대처하고 분별력을 발휘해야 합니다. 또한, 펜타클 9가 나타나면서 물질적인 안정성을 찾을 수 있으나, 이를 위해서는 노력이 필요할 수 있습니다.

상담팁

금전적인 도전과 안정성을 찾는 과정에서 노력과 현명한 선택이 필요하다는 것을 암시하며, 이러한 노력과 선택이 성공과 안정적인 미래를 가져올 수 있다는 희망을 보여준다고 볼수 있습니다.

29. 취업 준비생인데 앞으로 취직할수 있을까요?

(에이스완드-쏘드4-행맨)

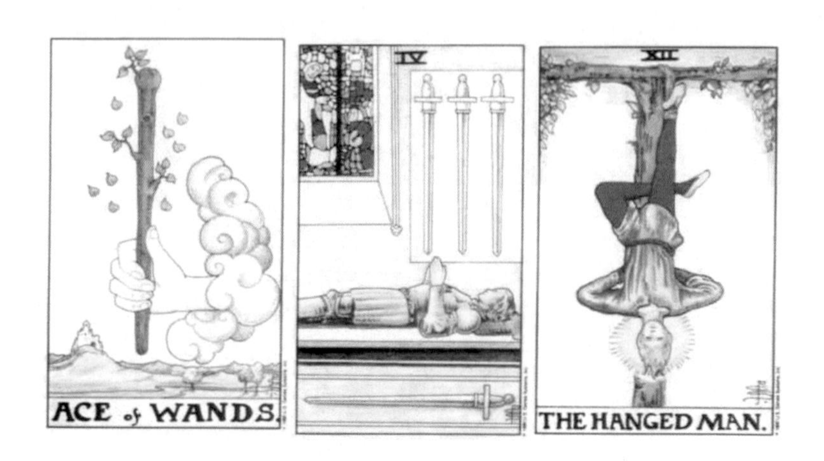

 에이스완드는 잠재력과 가능성을 상징합니다.
따라서 이 카드는 취직에 대한 긍정적인 징조가 될 수 있습니다.
쏘드4는 결심과 목표를 추구하는 의지를 상징합니다. 이 카드는 취직에 대한 목표를 가지고 있는 것을 나타낼 수 있습니다.

하지만, 행맨은 고통스러운 결정이나 희생을 필요로 한다는 것을 나타냅니다. 이 카드가 나온다면 취직에 대한 선택이 쉽지 않을 것임을 나타낼 수 있습니다.

에이스 완드는 새로운 시작과 가능성을 상징합니다. 쏘드 4는 결단과 분명한 방향을 나타냅니다. 행맨은 시간을 가지고 고민하고 깊게 생각하는 것을 상징합니다.

상담팁

취업 준비에 새로운 시작이 있을 것이며, 결단력을 발휘하여 목표를 향해 분명한 방향을 설정할 필요가 있습니다. 그러나 동시에 너무 급하게 움직이는 것이 아니라, 시간을 가지고 내부적으로 고민하고 탐구하는 것이 중요하다는 것을 암시하는 것 같습니다.
그렇기에 취업할 수 있는 가능성은 있지만, 지금은 자신의 방향성과 목표를 다시 한 번 확인하고, 준비를 철저히 하는 것이 중요할 것 같습니다.

30. 그 남자의 저에 대한 속마음은 무엇일까요?

(악마-펜타클7-나이트완드)

악마 카드는 유혹과 열망, 육체적인 충동 등을 상징합니다. 이 카드가 나온다면 그 남자는 여러 가지 이유로 당신에게 끌리고 있을 가능성이 높습니다.

그러나 그가 당신에게서 얻으려는 것이 건전하거나 긍정적인 것이 아닐 수도 있습니다.

펜타클 7 카드는 재정적인 안정과 일과 관련된 문제를 나타내며, 이 카드가 나오면 그 남자는 돈과 관련된 문제로 인해 스트레스를 받을 수도 있습니다.

또한 이 카드는 장기적인 계획과 목표를 세우는 것의 중요성을 강조합니다.

나이트 완드 카드는 열정과 도전적인 성격을 나타내며, 이 카드가 나오면 그 남자는 당신에게 대한 강한 열망을 느낄 수 있습니다. 그러나

이 카드는 때로는 충동적인 행동과 불안정성을 의미하기도 합니다.

상담팁

그 남자는 당신에게 매력을 느끼고 있지만, 이를 제어할 수 없는 충동이나 이기적인 목적으로 인해 그의 속마음이 복잡할 수 있습니다. 또한 그는 돈과 관련된 문제로 스트레스를 받고 있을 가능성이 있습니다. 이러한 점을 고려하여 그와 관계를 형성하거나 발전시키는 것이 좋을지 신중히 판단해야 합니다.

31. 타로 올해운을 분기별로 봐 주세요.
(컵2, 펜타클4, 킹소드, 에이스펜타클)

분기별로 컵 2, 펜타클 4, 킹, 에이스 펜타클 카드를 사용하여 올해의 운세를 살펴보겠습니다.

1분기 (1월 - 3월): 컵 2
컵 2 카드는 감정, 관계, 조화를 나타냅니다. 1분기에는 주변 사람들과의 조화롭고 긍정적인 관계가 중요해 보입니다. 이 기간에는 감정적인 안정을 추구하고, 대인 관계에서의 소통과 협력을 강조할 것입니다. 어려움이 있을 때에도 서로에게 지지를 주고받을 수 있는 관계를 유지하는 것이 중요할 것입니다.

2분기 (4월 - 6월): 펜타클 4
펜타클 4 카드는 안정, 안전, 재물적인 안정을 상징합니다. 이 카드는 재물적인 측면에서 성취와 안정이 있음을 나타내며, 실제로 재정적인 면에서 안정을 찾을 수 있는 시기일 수 있습니다. 이 기간에는 재물적인 목표를 설정하고 그것을 달성하기 위해 노력할 때입니다. 투자, 저축, 또는 재무 계획을 신중하게 검토하는 것이 좋을 것입니다.

3분기 (7월 - 9월): 킹소드

킹 카드는 권위, 통제, 안정성을 나타냅니다. 3분기에는 자신의 힘과 권위를 발휘할 수 있는 기회가 주어질 것입니다. 이 기간에는 결단력 있고 지도력 있는 행동이 필요할 것입니다. 자신의 목표를 추구하고 다른 사람들을 이끌어 나가는 데 중점을 두어야 합니다. 그러나 권력을 남용하지 않고 책임감 있게 행동하는 것이 중요합니다.

4분기 (10월 - 12월): 에이스 펜타클

에이스 펜타클 카드는 새로운 시작, 잠재력, 성장을 나타냅니다. 4분기에는 새로운 기회가 찾아올 것입니다. 이 기간에는 새로운 프로젝트를 시작하거나 새로운 계획을 세우는 것이 유리할 것입니다. 잠재력을 최대한 발휘하고 성장하는 기회를 적극적으로 활용해야 합니다. 그러나 새로운 시작을 할 때에는 신중함이 필요하며, 안정적인 기반 위에서 행동하는 것이 좋습니다.

이러한 카드들을 통해 올해를 살펴보았을 때, 주변 사람들과의 조화를 이루며 안정적인 관계를 유지하고, 재물적인 안정을 찾으며 자신의 힘과 권위를 발휘하며, 새로운 기회를 적극적으로 활용하는 것이 중요함을 알 수 있습니다. 그러나 이는 단순한 가이드일 뿐이며 개인의 상황과 선택에 따라 해석이 달라질 수 있습니다.

32. 사업경험이 없는데 사업을 시작해도 될까요?
(쏘드7, 펜타클9, 달, 절제)

쏘드 7: 이 카드는 도전, 변화, 결정을 나타냅니다. 사업을
시작하는 것은 새로운 도전과 변화를 의미할 것입니다. 그러나 이 카드는 때때로 불확실성과 문제가 발생할 수 있다는 경고를 내포하고 있습니다. 따라서 충분한 준비와 계획이 필요합니다.

펜타클 9: 안정, 안전, 재물적 보상을 상징합니다. 이는
사업을 통해 재물적인 보상을 얻을 수 있는 가능성이 있다는 것을 시사할 수 있습니다. 그러나 펜타클 9는 안정적인 결과를 얻기 위해서는 꾸준한 노력과 실력 향상이 필요하다는 것을 암시합니다.

달: 이 카드는 불확실성, 감정적인 변화, 숨겨진 것들을 나타냅니다. 사업을 시작할 때 당면할 수 있는 불확실성과 감정적인 변화에 대한 인식이 중요합니다. 자신의 감정과 목표를 잘 이해하고 관리하는 것이 필요합니다.

절제: 이 카드는 조절, 균형, 절제를 상징합니다. 사업을 시작

할 때는 과도한 충동이나 급박한 결정보다는 조심스러운 접근이 필요합니다. 조절된 자세와 균형 있는 접근으로 사업을 추진하는 것이 중요합니다.

상담팁

사업을 시작하기 전에는 다음과 같은 사항들을 고려해야 합니다:
자신의 강점과 약점을 파악하고 이에 맞는 사업 아이디어를 선택합니다.
충분한 시장 조사와 경쟁 분석을 통해 사업 가능성을 평가합니다.
재무적인 준비와 자금 조달 방안을 계획합니다.
사업을 위한 필요한 기술이나 지식을 습득하고 필요한 경우 전문가들과 상담합니다.
사업을 시작하는 것은 새로운 도전과 기회를 가져다 줄 수 있지만,
충분한 준비와 계획이 필요합니다. 불확실한 부분을 최소화하고 가능한 많은 정보를 수집하여 신중한 결정을 내리는 것이 중요합니다.

33. 오랜만에 타로 한번 올려 볼께요. 5년간 장사 하던 여자친구가 가게를 팔고 싶은데 나갈수 있나요?

(나이트펜타클-쏘드 7-펜타클 10, 히든카드-변동카드)

일정의 자본금을 가지고 기대와 희망으로 열심히 달려왔습니다. 꾸준히 추진해 왔다고 보이네요.
현재는 굳이 역방향을 볼 필요는 없겠지만 어느정도 성과가 있지만 또한 못지않은 무리수가 있고 좀 힘에 부치게 일할때도 있습니다.
힘에 부쳐도 썩 좋은 이익적 결과는 아니라고 봐집니다.
가게를 보러오기도 하지만 그리고 좀 타협을 잘해야만 팔고 나갈수 있게 보이는데요. 가격이나 가게 가격을 융통성있게 잘 조율해야 한다고 보입니다.
히든카드는 해결방안으로써 변동수가 있고 좋게 해결될 기미는 있지만 너무 서두루지 않는것이 방법이 되겠으며 순리에 맡기는게 좋을듯하고 앞서 말했듯 융통성을 발휘하는 것이 좋겠습니다.

34. 올해의 분기별 운을 보고 싶어요.
타로카드 분기별로 잘 설명해 주세요.
(컵8-완드2-컵9-죽음카드-전체적 에이스펜타클)

분기별로 운을 볼 때, 타로 카드는 각 분기의 주요한 에너지와 상황을 나타내 줄 수 있어요.

1분기(컵 8) - 이 카드는 일시적인 만족과 안정을 나타냅니다. 이 분기에는 지난 시간에 달성한 목표들에 만족할 수 있고, 즐거운 사건들이 기다리고 있을 겁니다. 하지만, 주의해야 할 점은 과도한 탐욕이나 안주함에 빠지지 않도록 하는 것입니다. 안정적인 상황에서도 성장을 위한 새로운 도전을 찾아보세요.

2분기(완드 2) - 완드 2는 협력과 파트너십을 강조하는 카드입니다. 이 분기에는 다른 사람들과의 협업이나 팀워크가 중요한 역할을 할 것입니다. 상호 작용과 소통이 효과적으로 이루어지면 더 큰 성취를 이룰 수 있을 겁니다. 개인적인 목표보다는 공동의 이익을 위해 노력하는 것이 중요합니다.

3분기(컵 9) - 이 카드는 내적 충족과 만족을 상징합니다. 3분기에는 내면의 조화와 평온을 찾을 수 있을 겁니다. 과거의 상처를 치유하고 새로운 시작을 준비할 시기입니다. 내적인 변화와 성장을 경험하면서 주변 환경에도 긍정적인 영향을 끼칠 수 있을 겁니다.

4분기(죽음카드) - 이 카드는 변화와 새로운 시작을 상징합니다. 4분기에는 과거의 패턴이나 습관을 버리고 새로운 가능성을 탐색할 수 있는 기회가 주어질 겁니다. 변화가 처음에는 어려울 수 있지만, 이는 새로운 성장과 발전을 가져올 것입니다. 자연스럽게 끝나는 것들은 새로운 것들의 시작을 암시합니다.

상담팁

에이스펜타클이라는 카드가 나타내는 것은 새로운 가능성과 풍요로움입니다. 이 카드는 성공과 풍요로움의 씨앗을 심는 것을 상징하며, 여러분이 이루고자 하는 목표를 달성할 수 있는 기반이 마련되어 있다는 것을 암시합니다. 따라서 이러한 카드 조합을 종합적으로 보면, 이 해는 변화와 성장을 통해 새로운 성취와 풍요로움을 경험할 수 있는 기회가 주어질 것으로 보입니다.

35. 앞으로의 금전운은 어떻게 전개될까요?
(세계-완드8-펜타클4)

세계: 세계 카드는 완성과 완벽한 성취를 상징합니다. 이 카드는 여태까지의 노력과 투자가 결실을 맺게 될 것임을 나타냅니다. 따라서 금전적으로는 현재 상태가 안정되어 있고, 이미 이룬 성과들을 충분히 즐길 수 있을 것입니다. 이는 금전적으로도 일정한 수준의 안정성과 만족을 의미할 수 있습니다.

완드 8: 완드 8은 도전과 성공을 나타냅니다. 이 카드는 내담자가 새로운 도전에 나서거나 현재의 상황을 넘어서기 위해 힘든 결정을 내릴 필요가 있다는 것을 시사합니다. 금전적으로는 새로운 기회에 도전하거나 더 높은 목표를 향해 나아가는 시기일 수 있습니다. 이는 조금의 위험을 감수하고 더 큰 성장을 위한 움직임을 할 필요성을 보여줍니다.

펜타클 4: 펜타클 4는 안정과 보안을 상징합니다. 이 카드는 재정적인 안정과 안정된 생활을 나타내며, 재물적 보안이나 투자를 통한 장기적인 성장을 의미합니다. 따라서 이 카드는 금전적으로 안정을 추구하고 보수적인 결정을 내리는 것이 현명할 수 있다는 것을 암시합니다.

상담팁

앞으로의 금전운은 안정적이고 안정성을 중시하는 성향을 보일 것으로 보입니다. 이미 어느 정도의 성취를 이루었으며, 새로운 도전에 대한 준비를 할 때가 되었습니다. 그러나 이러한 도전은 신중하게 계획하고 위험을 최소화하는 것이 중요할 것입니다. 재정적인 안정을 유지하면서도 새로운 기회를 탐색하고 발전해 나가는 것이 필요할 것입니다.

36. 앞으로 저에게 멋지고 마음에 드는 여자친구가 생길까요?
(완드8- 부활-교황-쏘드7)

완드 8: 완드 8은 도전과 성취를 상징합니다. 이 카드는 새로운 사랑이나 관계에 대한 도전적인 시기일 수 있음을 나타냅니다. 새로운 사랑을 찾기 위해 행동하거나, 현재의 관계에서 도전적인 문제를 극복하기 위해 노력할 수 있습니다.

부활: 부활 카드는 새로운 시작과 변화를 상징합니다. 이 카드는 지나온 어려움을 극복하고 새로운 에너지를 찾을 수 있는 시기임을 나타냅니다. 과거의 사랑 상처를 치유하고 새로운 사랑에 대한 열린 마음을 가질 수 있는 시기일 수 있습니다.

교황: 교황 카드는 가르침과 지혜를 상징합니다. 이 카드는 깊은 내면의 성장과 정신적인 연결을 강조합니다. 새로운 사랑을 찾거나 관계를 발전시키는 데 있어서 내면의 지혜와 철학적인 이해가 필요할 것입니다.

쏘드 7: 쏘드 7은 결정과 도전을 상징합니다. 이 카드는 객관적이고 분석적인 사고가 필요함을 나타냅니다. 새로운 사랑을 찾거나 관계를 발전시키는 데 있어서 객관적으로 현재의 상황을 평가하고 결정을 내리는 것이 중요할 것입니다.

상담팁

이 카드들은 새로운 사랑이나 관계에 대한 도전과 변화가 예상됨을 시사합니다. 과거의 사랑 상처를 극복하고 내면의 성장을 통해 새로운 사랑에 대한 열린 마음을 가질 수 있는 시기일 수 있습니다. 그러나 현재의 상황을 객관적으로 평가하고 적절한 결정을 내리는 것이 중요할 것입니다. 신중하게 나아가면 멋지고 마음에 드는 여자친구를 만날 수 있을 것입니다.

37. 10월에 이사가 있습니다. 전세금을 잘 반환받고 마음에 드는 집이 구해질까요?

(컵8-에이스완드-정의-컵3)

컵 8: 컵 8은 만족과 안정을 상징합니다. 이 카드는 현재의 상황에 만족하고 있으며, 안정적인 상태에서 이사와 관련된 변화를 받아들일 준비가 되어 있다는 것을 나타냅니다. 이는 이사와 관련된 과정이 비교적 부드럽게 진행될 수 있음을 시사합니다.

에이스 완드: 에이스 완드는 새로운 가능성과 출발을 상징합니다. 이 카드는 새로운 집을 찾는 과정에서 새로운 기회가 나타날 것임을 암시합니다. 새로운 집을 찾는 과정에서 좋은 선택을 할 수 있는 기회가 주어질 것입니다.

정의: 정의 카드는 균형과 공정함을 나타냅니다. 이 카드는 이사와 관련된 결정이 공정하고 균형 있게 이루어질 것임을 시사합니다. 내담자가 자신의 욕구와 필요를 고려하면서 적절한 선택을 할 수 있을 것입니다.

컵 3: 컵 3은 만족과 안정을 상징합니다. 이 카드는 새로운 집을 찾는 과정에서 만족스러운 결과를 얻을 수 있음을 나타냅니다. 마음에 드는 집을 찾을 가능성이 높으며, 새로운 환경에서 행복하고 안정된 생활을 즐길 수 있을 것입니다.

상담팁

주어진 카드들은 이사와 전세금 반환, 새로운 집을 찾는 과정이 비교적 부드럽고 만족스러운 결과를 가져올 것임을 시사합니다. 새로운 집을 찾는 과정에서 새로운 가능성을 발견할 수 있고, 공정하고 균형 있게 결정을 내릴 수 있을 것입니다. 마음에 드는 집을 찾아 새로운 환경에서 행복하고 안정된 생활을 즐길 수 있을 것입니다.

38. 그 여자의 저에대한 마음은 무엇일까요?

(완드3-펜타클5-죽음)

펜타클3 카드는 역동적인 활동과 창의적인 열정을 나타냅니다. 이 카드가 나오면, 그 여자는 당신에게 매우 긍정적인 마음을 품고 있을 가능성이 높습니다. 그녀는 당신을 흥미롭게 보고 있으며, 무엇인가 새로운 것을 함께 만들어나갈 수 있는 가능성을 열어두고 있을 것입니다.

펜타클 5 카드는 돈과 재정 문제를 나타냅니다. 이 카드가 나오면, 그 여자는 현재 재정적인 어려움이 있거나, 돈과 관련된 문제에 대해 걱정하고 있을 가능성이 있습니다.

죽음 카드는 변화와 종료를 나타내며, 이것은 긍정적이거나 부정적일 수 있습니다. 그러나 대개는 새로운 시작을 암시합니다. 이 카드가 나오면, 그 여자와의 현재의 상황이 어떻든 변화가 있을 것이며, 이 변화가 긍정적인 것인지 부정적인 것인지는 나중에 알게 될 것입니다.

상담팁

그 여자는 당신에게 긍정적인 마음을 품고 있으며, 새로운 것을 만들어 나가는 가능성을 열어두고 있습니다. 그러나 돈과 재정 문제에 대해 걱정하고 있을 가능성이 있으며, 현재의 상황이 어떻든 변화가 있을 것입니다.

이러한 점을 고려하여 그녀와 관계를 발전시키는 것이 좋을지, 또는 대기하며 상황을 지켜보는 것이 좋을지 신중히 판단해야 합니다.

39. 자격증 시험에 도전하려고 합니다. 시험에 합격할까요?
(절제-쏘드5-완드10)

절제 카드는 절제와 관련된 의미가 있습니다. 이 카드는 절제와 관련된 긍정적인 메시지를 전달합니다. 따라서, 내담자는 타로점 기사자격증 시험에 대해 절제와 관련된 긍정적인 마음가짐을 가져야 합니다. 시험 공부와 관련된 일을 할 때는 적당한 휴식과 식사를 취하며, 자기 관리를 잘하는 것이 중요합니다.

쏘드5 카드는 대개 어려움과 고난, 도전과 역경을 나타냅니다. 이 카드는 시험에 대한 도전과 고난이 예상된다는 것을 나타낼 수 있습니다. 그러나 이 카드는 또한 인내와 근성, 끈기와 인내력을 상징하기도 합니다. 따라서, 시험 준비를 위해 충분한 노력과 근성을 가지고, 어려움에 끈기있게 대처하는 자세가 필요합니다.

완드10 카드는 성취와 성공을 상징합니다. 이 카드는 시험에서 좋은 성적을 얻을 수 있다는 긍정적인 메시지를 전달할 수 있습니다. 하지만, 이 카드는 그 성취를 위해 노력하고 자신을 극복하는 노력과 인내력도 필요하다는 것을 알려줍니다.

따라서, 절제와 완드10 카드가 함께 나타났을 때, 시험에 대한 긍정적인 마음가짐과 노력, 그리고 인내력과 근성을 가지고 준비하는 것이 중요합니다.
그러나, 쏘드5 카드가 나타났기 때문에, 어려움과 도전이 예상되는 시험이라는 것도 인지하고, 그에 대한 대처 방안도 고려해야 합니다.

40. 11월에 전세계약이 만료되어 이사를 가려고 합니다. 전세금을 반환 받을수 있을까요?
(완드3-펜타클5-별카드)

완드3 카드는 일과 활동, 움직임과 출발을 상징합니다. 이 카드는 전세계약이 만료되고 이사를 결심한 당신의 결정과 움직임을 나타냅니다.

펜타클5 카드는 재물과 돈, 거래와 계약을 나타내는 카드입니다. 이 카드는 전세금 반환과 관련하여 긍정적인 메시지를 전달합니다. 즉, 전세금을 반환 받을 가능성이 높다는 것을 나타냅니다.

별카드는 희망과 기대, 영감과 꿈을 상징하는 카드입니다. 이 카드는 새로운 시작과 새로운 길을 열어주는 긍정적인 메시지를 전달합니다. 즉, 새로운 집으로 이사하는 것에 대한 긍정적인 에너지와 성공적인 전환을 예고합니다.

따라서, 완드3 카드와 별카드가 함께 나타났을 때, 새로운 시작과 이사에 대한 긍정적인 에너지와 성공적인 전환을 나타냅니다. 또한, 펜타클5 카드의 나타남으로 전세금 반환에 대한 긍정적인 메시지를 전달하고 있습니다.
결국 실제 결과는 당신의 선택과 행동, 그리고 상황에 따라 달라질 것입니다. 이를 참고하여, 전세금 반환에 대한 계약 조건과 절차 등을 충분히 파악하고, 전문가와 상담하며 신중하게 결정하는 것이 좋습니다.

41. 계속 쫓아다니는 남자가 있는데 이남자가 언제 떨어져 나갈까요?
(펜타클9-쏘드9-탑)

펜타클 9 카드는 타로에서 일반적으로 안정적인 상태와 자금력, 안정성을 나타내는 카드입니다. 이 카드는 현재 상황에서 당신의 안정적인 위치와 자긍심을 나타내며, 이 남자와의 관계에서도 내담자가 강한 자세를 취하고 있는 것을 보여줍니다.

하지만 쏘드9 카드는 갈등과 분쟁, 고민과 걱정을 상징하는 카드입니다. 이 카드는 이 남자와의 관계에서 여전히 불안정하고 갈등이 있을 수 있다는 것을 나타냅니다.

마지막으로 탑 카드는 예기치 못한 변화와 파괴, 큰 충격과 고통을 나타내는 카드입니다. 이 카드는 이 남자와의 관계에서 갑작스러운 종료나 큰 충격이 일어날 수 있다는 것을 나타냅니다.

따라서, 이 남자와의 관계에서 갈등과 불안정성이 지속될 가능성이 있으며, 갑작스러운 종료나 충격적인 사건이 일어날 수 있다는 것을 암시하고 있습니다. 그러나 정확한 시기는 알 수 없습니다.
그래서 당장은 이 남자와의 관계에서 벗어나기 위해, 철저하게 연락을 차단하고 다른 대처 방법을 고민하는 것이 좋습니다. 법적 조치를 취할 필요가 있다면 변호사나 전문가의 조언을 받는 것도 좋은 선택이 될 수 있습니다.

42. 소개팅을 한번 했는데 너무 마음에 드는 이성을 만났습니다. 그녀를 생각만해도 가슴이 설레입니다. 앞으로도 그녀와 관계가 잘 진행되고 꿈같은 나날들을 계속 보낼수 있을지요?
(완드2-완드기사-세계-컵3)

완드 2 카드는 뜻하는 바를 이루기 위해 노고와 진지한 마음으로 다가가는 뜻하는 바를 이루기 위해 노력하는 모습을 나타내는 카드입니다.
이 카드는 내담자가 이성에게 관심을 가지고 진지하게 다가가고 있음을 암시합니다.

또한, 완드기사 카드는 강한 열정과 에너지, 야망을 상징하며 이성에게 진지하게 다가가고 노력하는 모습을 강조합니다. 이성에게 매력적인 모습으로 다가가고 있다는 것을 암시합니다.

세계 카드는 높은 목표, 완성과 완전함을 나타내는 카드입니다. 이 카드는 이성과의 관계에서 긍정적인 성과와 완전한 만족을 느낄 수 있을 것이라는 것을 암시합니다.

마지막으로 컵3 카드는 상호 감정적인 만족과 만족스러운 인간관계를 나타내는 카드입니다. 이 카드는 이성과의 관계에서 서로에게 상호 감정적인 만족을 느낄 수 있을 것이라는 것을 나타냅니다.
따라서, 이성과의 관계가 긍정적으로 발전하고, 서로에게 상호 감정적인 만족과 완전한 만족을 느낄 수 있을 것으로 예상됩니다. 그러나 노력과 열정이 필요할 것이며, 서로에게 진실하고 성실한 마음으로 다가가는 것이 중요할 것입니다.

43. 올해의 분기별 운을 보고 싶습니다.
(페이지 쏘드-세계-은둔자-퀸 쏘드)

1분기 : 페이지 쏘드

페이지 쏘드는 미래를 예측하고 계획을 세우는 능력과 창의력을 나타내는 카드입니다. 이 카드는 새로운 아이디어나 계획을 구상하고 이를 실행에 옮길 수 있는 에너지와 열정이 있음을 나타내며, 새로운 도전을 할 준비가 되어 있음을 암시합니다.

2분기 : 세계

세계 카드는 목표를 이루고 완성되었음을 나타내는 카드입니다. 이 카드는 내담자가 이루고자 했던 목표를 이루어내고 성취감을 느낄 수 있는 시기임을 나타냅니다. 이번 분기에는 자신의 목표에 집중하며, 이루어내고자 하는 일에 더욱 집중해야 할 것입니다.

3분기 : 은둔자

은둔자 카드는 조용하고 고요한 시간을 보내며 내면의 성장을 추구하는 것을 나타내는 카드입니다. 이 카드는 조용한 분위기에서 자신의 내면을 돌아보며 새로운 인사이트를 찾아내는 시기임을 암시합니다. 이번 분기에는 자신과의 깊은 대화를 통해 내면의 성장을 추구하는 것이 중요할 것입니다.

4분기 : 퀸 쏘드

퀸 쏘드는 냉철하고 분석적인 사고를 나타내는 카드입니다. 이 카드는 이성적이고 분석적인 사고와 결정력, 그리고 강한 의지력을 나타내며, 문제를 해결할 준비가 되어 있음을 나타냅니다. 이번 분기에는 문제를 분석하고 해결책을 찾는 능력을 발휘하며, 냉철한 사고로 난관을 극복할 수 있을 것입니다.

44. B회사와의 업무협약 및 계약건이 잘 성사 될까요?
(쏘드3-에이스완드-에이스컵-매달린사람)

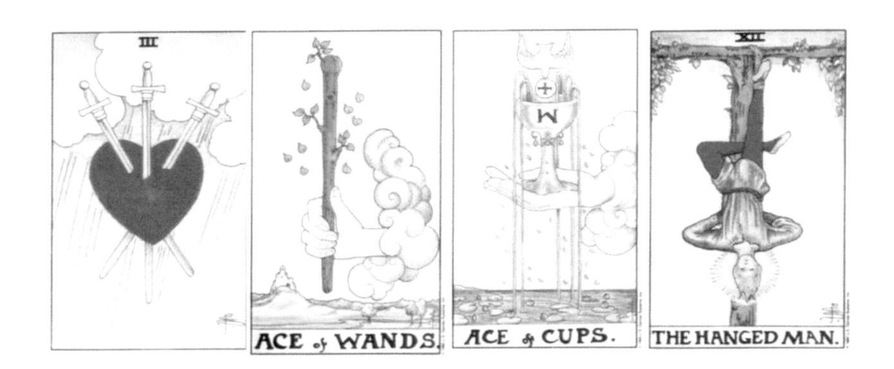

이 카드 조합은 불확실한 상황과 결정을 내리기 어려운 상황에 처해 있음을 나타냅니다.
쏘드3 카드는 현재 상황에서 문제점을 파악하고 해결책을 찾으려는 의지를 나타내는 카드입니다. 그러나, 에이스완드와 에이스컵 카드는 어떤 새로운 계획이나 아이디어, 제안 등이 나올 수 있다는 것을 나타내고 있습니다.
그리고 매달린 사람 카드는 불확실한 상황에서 결정을 내리기 어려움을 나타내며, 매우 어려운 결정이 필요할 수 있다는 것을 암시합니다.

따라서, 현재 상황에서 B회사와의 업무협약 및 계약건이 성사될지 여부는 아직 불확실하며, 새로운 계획이나 아이디어가 나올 수 있지만 어려운 결정이 필요할 수 있다는 것을 염두에 두어야 합니다. 이러한 상황에서는 불확실성에 대비하여 대비책을 마련해두는 것이 좋습니다.

45. 분기중 언제쯤 금전운이 좋아질까요?

(완드7-태양-펜타클3-페이지펜타클)

점을 봐드리기 전에 먼저 말씀드리겠습니다.

타로 점을 보는 것은 미래를 정확하게 예측하는 것이 아니라 현재 상황과 가능성을 이해하는 데 도움을 줍니다.

그러니까 이 점이 당신의 실제 상황을 정확히 반영하는지에 대해서는 자신의 판단을 신뢰하는 것이 중요합니다.

완드 7: 이 카드는 도전과 역경을 나타내는데, 노력과 결단력이 필요한 시기임을 암시합니다.

태양: 이 카드는 행운, 긍정적인 에너지, 자신감을 상징합니다. 여기서 금전운의 좋은 전망이 나타날 가능성이 있습니다.

펜타클 3: 이 카드는 안정과 실질적인 성취를 나타내며, 조금 더 노력하고 기다린다면 금전적으로 안정을 찾을 수 있음을 시사합니다.

페이지 펜타클: 이 카드는 새로운 시작과 학습의 시기를 의미합니다.
여기서는 새로운 금전적 기회가 다가올 수 있음을 시사합니다.
결론적으로, 현재 상황에서 노력과 결단력이 필요하지만 긍정
적인 결과를 얻을 수 있는 시기임을 알려줍니다. 태양 카드의 영향으
로 금전운이 좋아질 가능성이 있으며, 노력과 기다림을 통해 안정적
인 금전 상황을 찾을 수 있을 것으로 보입니다.

46. 그에게 고백을 받을수 있을까요?
(퀸컵-힘8-완드3-나이트컵)

그에게 고백을 받을 가능성에 대해 살펴보겠습니다.
퀸 컵: 이 카드는 감정적인 깊이와 연민을 상징합니다. 이 카드가 나타나면, 내담자가 진심으로 그에게 다가가고 있음을 나타낼 수 있습니다. 당신의 감정이 투명하게 드러나고 있음을 시사합니다.

힘 8: 이 카드는 용기와 결단력을 상징합니다. 이 카드가 나타나면, 내담자가 자신의 감정을 표현하고 그에게 고백할 준비가 되어 있음을 나타냅니다. 내담자는 이를 통해 어려움을 극복하고 긍정적인 결과를 얻을 수 있습니다.

완드 3: 이 카드는 열정과 에너지를 상징합니다. 이 카드가 나타나면, 내담자가 자신의 감정을 표현할 때 열정적이고 활기찬 태도를 취할 것임을 시사합니다. 이는 그에게 강력한 인상을 남길 수 있습니다.

나이트 컵: 이 카드는 로맨틱한 제안이나 새로운 감정적인 시작을 나타냅니다. 이 카드가 나타나면, 내담자가 그에게 고백을 받을 가능성

이 있음을 시사합니다. 또한, 이것은 그가 당신에게 긍정적으로 반응할 것임을 시사할 수 있습니다.

상담팁

타로 점에서 보여지는 카드들은 내담자가 그에게 고백을 받을 수 있는 가능성이 높다는 것을 시사합니다. 당신의 진심과 용기를 발휘하고, 그와의 관계에 새로운 단계를 나아가는 데 긍정적인 결과를 기대할 수 있을 것입니다.

47. 좋아하는 사람과 결혼이 가능할까요?
(완드7-나이트컵-퀸컵)

완드 7: 이 카드는 도전과 역경을 나타냅니다. 때때로 결혼은 도전적인 시간과 상황을 요구할 수 있습니다. 이 카드는 결혼이 이루어지기 위해 몇몇 어려움을 극복해야 할 수도 있다는 것을 시사할 수 있습니다.

나이트 컵: 이 카드는 로맨틱한 제안이나 새로운 감정적인 시작을 나타냅니다. 결혼은 새로운 단계로의 감정적인 시작이 될 수 있습니다. 이 카드는 두 사람 사이의 감정적인 연결이 깊어지고 있음을 시사할 수 있습니다.

퀸 컵: 이 카드는 감정적인 깊이와 연민을 나타냅니다. 결혼은 상대방과의 깊은 감정적 연결과 이해를 필요로 합니다. 이 카드는 결혼이 양측의 감정적인 호환성과 연결에 기반하여 가능성이 있음을 시사할 수 있습니다.

상담팁

종합적으로, 결혼이 가능할 수 있다는 긍정적인 가능성이 있음을 시사합니다. 하지만, 결혼은 어려움과 고려해야 할 많은 측면을 포함하므로, 신중한 판단과 두 사람 간의 강력한 연결이 필요합니다.

48. 상대방은 나를 어떻게 생각할까요?
(킹완드-완드2-부활)

킹 완드: 이 카드는 지도자적인 특성과 결단력을 상징합니다. 이 카드가 나타나면, 상대방이 당신을 존경하고, 당신의 결단력과 자신감을 인정할 가능성이 있습니다. 또한, 상대방이 당신을 일종의 리더나 영감으로 보고 있을 수도 있습니다.

완드 2: 이 카드는 협력과 동료 관계를 나타냅니다. 이 카드가 나타나면, 상대방이 당신과의 관계를 중요하게 생각하고 있으며, 함께 협력하여 어려움을 극복하려는 의지를 가지고 있다는 것을 시사할 수 있습니다.

부활: 이 카드는 새로운 시작과 변화의 징후를 나타냅니다. 이 카드가 나타나면, 상대방이 당신과의 관계에 새로운 에너지와 활기를 불어넣으려고 하고 있음을 나타낼 수 있습니다. 또한, 이 카드는 상대방이 당신과의 관계를 다시 살리거나 발전시키고자 하는 의지를 보여줄 수

있습니다.

상담팁

 종합해보면, 상대방이 당신을 존경하고 협력적인 관계를 중요시하며, 당신과의 관계에 새로운 시작과 발전을 원하는 의지를 가지고 있을 가능성이 있습니다. 그러나 각 관계는 복잡하고 다양하기 때문에, 상대방의 생각이나 감정을 정확히 이해하기 위해서는 대화와 소통이 필요할 것입니다.

49. 그여자는 나를 어떻게 생각할까요?

(전차-컵4-부활-완드3)

상대방의 생각에 대해 알아보기 위해 세 가지 카드를 살펴보겠습니다.

전차 (The Chariot): 이 카드는 주로 자신의 길을 가고, 힘찬 도전을 의미합니다. 이 여자는 당신을 자기 주도적이고 독립적인 사람으로 보고 있을 수 있습니다. 또한 그녀는 내담자가 미래를 향해 달려가는 모습에 감탄할지도 모릅니다.

컵 4 (Four of Cups): 이 카드는 내적 탐색과 안정을 의미합니다. 이 여자는 현재의 관계에 안정감을 느끼고, 당신과 함께 함으로써 감정적인 만족을 느낄 것으로 보입니다. 그러나 종종은 다른 선택이나 더 나은 가능성에 대한 고민을 할 수도 있습니다.

부활 (Judgement): 이 카드는 새로운 시작과 결정의 시간을 나타냅니다. 그 여자는 당신과의 관계를 새로 시작하거나 변화시키고자 할 수 있습니다. 이것은 그녀가 과거의 실수나 어려움을 극복하고, 더 나은 미래를 향해 나아가고자 한다는 의지를 나타낼 수 있습니다.

완드 3 (Three of Wands): 이 카드는 성공과 기대에 대한 전망을 나타냅니다. 이 여자는 당신과 함께 미래를 바라보며, 성공적인 결과를 기대하고 있을 것으로 보입니다. 그녀는 당신과 함께하는 것으로 자신의 목표와 꿈을 실현하고자 할 것입니다.

상담팁

그 여자는 당신을 독립적이고 강한 사람으로 보고 있으며, 당신과 함께 함으로써 안정감과 만족을 느끼고, 더 나은 미래를 향해 함께 나아가고자 할 것입니다.

50. 사귀는 남자가 있습니다. 결혼할수 있을까요?
(킹쏘드-에이스컵-완드2-에이스완드)

킹 소드: 이 카드는 지적인 통찰력과 결단력을 상징합니다. 결혼은 종종 심사숙고와 지적인 결정을 필요로 합니다. 이 카드는 결혼에 대한 당신의 결단력과 분석력을 강조할 수 있습니다.

에이스 컵: 이 카드는 새로운 감정적인 시작과 사랑의 제안을 나타냅니다. 이 카드가 나타나면, 당신과 당신의 남자 친구 사이에 새로운 감정적인 연결이 발전하고 있을 수 있다는 것을 시사합니다. 이는 결혼 가능성을 높일 수 있습니다.

완드 2: 이 카드는 협력과 동료 관계를 나타냅니다. 결혼은 두 사람 간의 협력과 함께 이루어지는 것이 중요합니다. 이 카드는 당신과 당신의 남자 친구가 서로를 동료로서 존중하고 협력하는 관계를 형성하고 있다는 것을 시사할 수 있습니다.

에이스 완드: 이 카드는 새로운 가능성과 행동의 시작을 상징합니다. 이 카드가 나타나면, 새로운 시작이 당신과 당신의 남자 친구에게 찾아올 수 있다는 것을 나타낼 수 있습니다. 이는 결혼 가능성이 높을

수 있음을 시사합니다.

상담팁

당신과 당신의 남자 친구 사이에 새로운 감정적인 연결이 형성되고 있으며, 서로를 동료로서 존중하고 협력하는 관계를 가지고 있습니다. 또한, 새로운 가능성과 시작이 당신들에게 찾아올 수 있으므로, 결혼 가능성이 높을 수 있다는 것을 시사합니다. 하지만, 결혼은 심사숙고와 상호적인 이해와 지지가 필요하기 때문에, 신중한 결정이 필요할 것입니다.

51. 다른곳에 거주하지 않는 집을 부동산에 내놓았는데 부동산에 내놓은집이 팔릴수 있을까요?
(킹쏘드-페이지쏘드-컵5-킹완드)

킹 소드: 이 카드는 지적인 통찰력과 결단력을 상징합니다. 집을 판매하는 과정은 종종 지적인 결정과 전략이 필요합니다. 이 카드는 당신이 현명한 판단력과 결단력을 가지고 있음을 시사할 수 있습니다.

페이지 소드: 이 카드는 새로운 아이디어나 관점을 가져야 할 필요성을 나타냅니다. 집을 팔기 위해서는 때로는 새로운 접근 방식이나 전략이 필요할 수 있습니다. 이 카드는 내담자가 새로운 관점을 통해 집을 팔기 위한 방법을 찾아보아야 할 수도 있다는 것을 시사합니다.

컵 5: 이 카드는 갈등과 불안을 상징합니다. 집을 팔기 위해서는 때로는 갈등이나 불안을 겪을 수 있습니다. 이 카드는 판매 과정에서 어려움이 있을 수 있지만, 이를 극복할 수 있다는 희망을 주는 메시지를 전달할 수도 있습니다.

킹 완드: 이 카드는 힘과 지도력을 상징합니다. 집을 팔기 위해서는 힘과 지도력이 필요합니다. 이 카드는 내담자가 상황을 조절하고 제어할 수 있는 능력을 가지고 있음을 시사할 수 있습니다.

상담팁

집을 팔기 위해서는 현명한 판단력과 새로운 전략이 필요하며, 때로는 갈등이나 어려움을 겪을 수 있지만, 내담자가 힘과 지도력을 발휘하여 이를 극복할 수 있다는 것을 시사합니다. 따라서 판매 과정에서 당신이 적극적으로 대처하고 적절한 전략을 채택한다면 집이 팔릴 가능성이 높아질 것입니다.

52. 평상시는 괜찮은데 술을 마시면 도벽이나 남의 물건을 훔치는 버릇을 고칠수 있을까요?
(나이트 펜타클-킹컵-3번여왕-펜타클3)

알코올이 인격적인 행동에 영향을 미치는 것은 사실입니다. 그러나 타로 카드는 단순한 행동 패턴을 직접적으로 변화시키지는 않습니다. 대신, 당신의 현재 상황과 가능성을 이해하고, 어떤 조치를 취할지에 대한 인사이트를 제공합니다.

나이트 펜타클: 이 카드는 실용성과 안정성을 상징합니다. 여기서는 내담자가 일상적인 생활에서 괜찮은 판단력과 안정된 행동을 보이고 있다는 것을 나타냅니다.

킹 컵: 이 카드는 감정적인 깊이와 지혜를 상징합니다. 내담자는 감정적으로 안정되어 있고, 자신의 감정을 잘 다스리고 있는 것으로 보입니다.

여왕 + 펜타클 3: 여왕은 안정과 현실성을 나타내며, 펜타클3은 안정된 상태를 상징합니다. 이들은 내담자가 현재 안정된 상태를 유지하고 있음을 시사합니다.

상담팁

술을 마셨을 때의 도벽이나 물건을 훔치는 버릇을 고치기 위해 현재 상태를 유지하고 안정된 감정을 유지하는 데 집중할 필요가 있습니다. 술을 마시는 행위 자체에 대한 제어와 함께, 술에 대한 자신의 반응과 그로 인한 행동에 대해 깊이 생각하고, 필요하다면 전문가의 도움을 받는 것이 좋습니다.

53. 사무실에서 맞지도 않은 사람들 때문에 스트레스 받고 너무 힘듭니다. 직장에서 대인관계를 잘 할수 있게 될까요?
(나이트펜타클-퀸소드-에이스컵-완드3)

나이트 펜타클: 이 카드는 실용성과 안정성을 상징합니다. 직장에서 다른 사람들과의 대인관계를 조절하는 데 있어서 실용적인 접근과 안정적인 태도가 중요할 것입니다. 이 카드는 내담자가 이를 달성하기 위해 노력하고 있다는 것을 시사합니다.

퀸 소드: 이 카드는 지적인 통찰력과 명확한 사고를 상징합니다. 대인관계를 조절하는 데 있어서는 객관적인 시각과 명확한 의사소통이 중요합니다. 이 카드는 내담자가 타인의 의견을 존중하고 자신의 의견을 명확하게 표현할 수 있는 능력을 가지고 있다는 것을 나타냅니다.

에이스 컵: 이 카드는 새로운 감정적인 시작과 사랑의 제안을 나타냅니다. 대인관계를 개선하고 조절하기 위해 새로운 관점에서 접근하고, 더 나은 의사소통과 이해를 위한 새로운 시작을 시도할 수 있습니다.

완드 3: 이 카드는 열정과 에너지를 상징합니다. 직장에서 대인관계를 잘 조절하기 위해서는 열정적으로 일하고, 다른 사람들과의 관계를 적극적으로 관리하고 발전시키는 데 에너지를 투자해야 합니다.

상담팁

타로 카드는 내담자가 대인관계를 잘 조절하고 개선할 수 있는 능력을 가지고 있음을 시사합니다. 실용적이고 안정적인 접근과 함께, 지적인 통찰력과 새로운 시작의 가능성을 통해 대인관계를 더욱 효과적으로 관리할 수 있을 것입니다.

55. 그녀의 나에대한 감정은 무엇일까요?

(페이지펜타클-나이트컵7-세계)

페이지 펜타클: 이 카드는 새로운 시작과 학습의 시기를 나타냅니다. 그녀는 여러분과의 관계에 대해 새로운 관심과 호기심을 가지고 있을 수 있습니다. 또한, 이 카드는 그녀가 여러분을 알아가려고 노력하고 있음을 시사할 수 있습니다.

나이트 컵 7: 이 카드는 꿈과 로맨스를 상징합니다. 그녀가 여러분에 대해 로맨틱하게 생각하고 있는 것으로 보입니다. 또한, 이 카드는 그녀가 여러분과의 관계에 대해 깊이 생각하고 감정을 탐색하고 있는 것을 시사합니다.

세계: 이 카드는 완성과 성취를 상징합니다. 그녀는 여러분과의 관계를 긍정적으로 바라보고 있으며, 그 관계가 완성되고 성취될 것이라고 믿고 있을 수 있습니다. 이 카드는 그녀가 여러분과의 관계를 중요하게 생각하고, 그 관계를 성공적으로 이끌고자 노력하고 있는 것을 시사합니다.

상담팁

그녀는 여러분에게 새로운 관심과 호기심을 가지고 있으며, 로맨틱하게 여러분을 생각하고 있습니다. 또한, 그녀는 여러분과의 관계를 긍정적으로 바라보고 성취될 것으로 기대하고 있습니다.

56. 나의 적성은 무엇일까요?

(컵9-페이지펜타클-에이스완드-펜타클6)

적성을 알아보기 위해서는 여러 가지 요인을 고려해야 합니다.
컵 9: 이 카드는 감정, 만족, 행복, 그리고 풍요로움을 나타냅니다. 내담자는 대인관계나 감정적인 측면에서 뛰어날 수 있으며, 주변 사람들과의 관계를 중요하게 여기는 편일 것입니다.

페이지 펜타클: 이 카드는 지식과 배움, 새로운 시작을 상징합니다. 내담자는 학습에 관심이 많거나 새로운 분야를 탐구하는 것을 즐길 수 있을 것입니다. 탐구심이 강하고, 지식을 확장하는 데 열정적일 것으로 보입니다.

에이스 완드: 이 카드는 창의성, 열정, 새로운 기회를 나타냅니다. 당신은 새로운 시작을 주도하는 데 능숙할 수 있으며, 열정과 의지를 통해 목표를 이루는 경향이 있을 것입니다.

펜타클 6: 이 카드는 안정성, 재산, 자원, 안락함을 나타냅니다. 당신은 안정적인 환경과 안락함을 추구하는 경향이 있을 것입니다. 또한 자원을 효과적으로 관리하고, 안정적인 기반을 만들려는 욕구가 있을 것으로 생각됩니다.

상담팁

카드가 도출된것에 의거하면 내담자는 감정적으로 풍부하며, 지식을 추구하고 새로운 기회를 탐색하며, 안정적이고 안락한 환경을 선호하는 경향이 있을 것으로 생각됩니다. 이러한 특성을 바탕으로 여러 분야에서 성공을 거둘 수 있을 것입니다.

57. 우리회사의 부장님은 저에 대해 어떻게 생각할까요?

(완드8-완드2-완드4-완드7)

완드 8: 이 카드는 지속성과 성공을 상징합니다. 내담자가 일하는 환경에서는 지속적으로 성과를 내고 있는 모습을 보일 것입니다. 부장님은 당신의 노력과 업적을 인정하고 있을 것으로 생각됩니다.

완드 2: 이 카드는 협력과 동료들과의 관계를 강조합니다. 내담자는 협업을 중요하게 생각하고 동료들과의 원활한 소통을 유지하는데 중요한 역할을 할 것입니다. 부장님은 내담자가 팀 내에서 좋은 협력자임을 인식할 것입니다.

완드 4: 이 카드는 안정과 안전을 상징합니다. 내담자는 신뢰할 만한 직원으로서 안정적이고 신뢰할 수 있는 역할을 하고 있을 것입니다. 부장님은 당신을 안정적이고 신뢰할 수 있는 직원으로 보고 있을 것입니다.

완드 7: 이 카드는 성장과 발전을 나타냅니다. 내담자는 자기계발에

힘쓰고 있으며, 새로운 아이디어나 프로젝트를 추진하는 데 열정적으로 참여할 것입니다. 부장님은 당신의 성장과 발전에 관심을 가지고 있을 것으로 생각됩니다.

상담팁

 부장님은 당신을 뛰어난 성과를 내는 팀원으로 인식하고 있으며, 협력적이고 안정적인 성향을 가졌다고 생각할 것입니다. 또한 당신의 성장과 발전을 응원하고 지원할 것으로 예상됩니다.

58. 집을 내놨는데 한달안에 매매가 발생할까요?

(소드5-컵9-완드4)

소드 5: 이 카드는 어려움과 갈등을 나타냅니다. 현재 매물이 시장에서 어려움을 겪고 있거나 예상치 못한 문제가 발생할 수 있음을 시사합니다.

컵 9: 이 카드는 만족과 행복을 상징하지만 때로는 불안과 불만족을 감추려는 경향도 있습니다. 따라서 현재 상황에서는 불확실성과 불안감이 존재할 수 있습니다.

완드 4: 이 카드는 안정과 안전을 나타냅니다. 그러나 현재 상황에서는 안정을 찾기 어려울 수 있습니다.

상담팁

한 달 안에 매매가 발생할지에 대한 확신이 부족한 상황입니다. 소드 5와 컵 9의 카드가 나타내는 어려움과 불안감은 매매 과정에서의 어려움을 시사하며, 완드 4의 카드는 안정을 찾는 데 어려움이 있을 수 있다는 것을 나타냅니다. 하지만 이 카드들은 모두 상황을 극복할 수 있는 능력과 해결책을 찾는 데 필요한 자원을 나타내기도 합니다. 매매가 발생할지 여부는 시장 조건과 여러 다른 요인에 따라 달라질 수 있습니다. 내담자가 적절한 조치를 취하고 지속적으로 노력한다면 성공할 가능성이 있습니다.

59. 병역 신체검사에서 공익근무요원 판정을 받을수 있을까요?

(행맨-절제-세계-컵3)

"행맨" 카드는 결정을 미루거나 어떤 상황에서의 제안이나 선택의 어려움을 나타냅니다. 따라서 이 카드가 나타내는 것은 병역 신체검사에서 공익근무요원 판정을 받을 수 있는지 여부에 대한 확실한 답변을 제공하기 어렵다는 것입니다.

"절제" 카드는 균형과 절제를 상징합니다. 이는 내담자가 자신의 욕구를 조절하고 책임감 있게 행동하며, 균형을 유지하는 데 중요한 역할을 할 것임을 시사합니다. 이는 공익근무요원 판정을 받을 수 있는 능력을 갖추고 있다는 것을 나타낼 수 있습니다.

"세계" 카드는 완성과 성취를 상징합니다. 공익근무요원으로 선발되는 것은 새로운 환경에 적응하고 임무를 완수할 수 있는 능력을 갖추었음을 시사할 수 있습니다.

″컵 3″ 카드는 희망과 만족을 상징합니다. 이 카드는 내담자가 행복하고 만족스러운 선택을 할 수 있으며, 주변 환경과의 조화를 이루는 데 중요한 역할을 할 것임을 시사합니다.

상담팁

병역 신체검사에서 공익근무요원 판정을 받을 수 있는지는 당신의 개인적인 상황과 기타 요인에 달려있습니다. 그러나 이 카드들은 당신이 책임감 있고 균형을 유지하며, 성취를 이룰 수 있는 능력을 갖추었으며, 희망과 만족을 추구하는 경향이 있음을 시사합니다. 따라서 적한 조건과 상황에서 공익근무요원 판정을 받을 수 있는 가능성이 있을 것으로 생각됩니다.

60. 올해 큰 프로젝트를 계획하고 있습니다.
이것이 성공할수 있을까요?
(완드2-완드8-킹쏘드-컵9)

올해 큰 프로젝트를 계획하고 있다면, 아래의 카드들을 통해 성공할 가능성에 대해 알아볼 수 있습니다.
완드 2: 이 카드는 새로운 아이디어나 시작을 상징합니다. 내담자가 새로운 프로젝트를 시작하고자 하는 의지와 열정을 나타냅니다. 내담자는 새로운 아이디어를 추구하고 이를 실현시키기 위해 노력할 것입니다.

완드 8: 이 카드는 지속적인 성공을 상징합니다. 내담자가 프로젝트를 시작하고 이를 추진해 나가면서 지속적으로 성과를 거둘 수 있음을 나타냅니다. 내담자는 자신의 목표를 달성하기 위해 꾸준한 노력을 기울일 것입니다.

킹 소드: 이 카드는 지혜와 결단력을 상징합니다. 내담자가 프로젝트를 계획하고 실행하는 데 있어서 지혜롭고 결단력 있는 선택을 할 것

임을 시사합니다. 내담자는 문제를 해결하고 목표를 달성하기 위해 현명한 판단을 내릴 것입니다.

컵 9: 이 카드는 만족과 행복을 나타냅니다. 내담자가 프로젝트를 추진하면서 만족스럽고 행복한 결과를 얻을 수 있을 것임을 시사합니다. 내담자는 자신의 노력과 열정으로 인해 성공을 경험할 것입니다.

결론적으로 큰 프로젝트가 성공할 가능성이 높다는 것을 나타냅니다. 당신은 새로운 아이디어를 시작으로 지속적으로 노력하고, 지혜롭게 선택하며, 자신의 노력에 만족하고 행복한 결과를 얻을 것입니다. 하지만 이러한 성공은 계획과 실행에 따라 달라질 수 있으므로 꾸준한 노력과 집중이 필요할 것입니다.

61. 앞으로의 건강운을 보고 싶습니다.

(행맨-퀸쏘드-소드7-펜타클8)

행맨: 이 카드는 변화와 희생을 상징합니다. 내담자가 건강에 대한 새로운 시각을 갖게 될 수 있으며, 어떤 면에서는 현재의 건강 관리 방식을 바꾸는 필요성을 시사할 수 있습니다.

퀸 소드: 이 카드는 지성과 전략을 상징합니다. 내담자가 건강에 대해 더 많은 지식을 습득하고, 현명한 선택과 전략을 통해 건강을 유지하고 개선하는 데 중요한 역할을 할 것입니다.

소드 7: 이 카드는 도전과 시련을 나타냅니다. 건강 관련 문제나 도전적인 상황이 발생할 수 있음을 시사합니다. 그러나 이러한 도전을 극복하고 나아가는 데 있어 내담자는 강인한 의지와 결단력을 발휘할 것입니다.

펜타클 8: 이 카드는 안정과 안전을 상징합니다. 내담자가 건강을 관리하고 보호하는 데 안정적이고 꾸준한 노력을 기울이는 중요성을 강조합니다. 또한 신체적인 안정성을 추구하는 데 중요한 역할을 할 것입니다.

상담팁

앞으로의 건강운은 변화와 도전이 있을 수 있지만, 지혜롭게 대응하고 강인한 의지를 발휘함으로써 극복할 수 있다는 것을 나타냅니다. 또한 건강을 관리하고 개선하는 데 안정적이고 꾸준한 노력을 기울이는 것이 중요하다는 메시지가 담겨 있습니다. 따라서 건강을 위해 지속적인 관심과 노력을 기울이는 것이 중요할 것입니다.

62. 저는 한남자에 집중을 하지 못합니다. 여러남자를 만나 교제를 즐기는 것을 선호하는데 괜찮을까요?

(컵7-나이트완드-완드7-펜타클5)

컵 7: 이 카드는 사랑과 관계를 상징합니다. 여러 남자와의 교제를 즐기는 것이 당신에게는 자유로움과 다양성을 가져다 줄 수 있음을 시사합니다. 내담자는 다양한 관계를 통해 새로운 경험과 감정을 탐험하고자 할 것입니다.

나이트 완드: 이 카드는 열정과 모험을 상징합니다. 내담자는 새로운 사람들과의 만남을 즐기며, 삶을 더욱 흥미롭게 만들기 위해 다양한 활동에 참여할 것입니다. 내담자는 새로운 경험을 추구하고 즐기는 것을 좋아하는 모험가적인 성향을 가지고 있을 것입니다.

완드 7: 이 카드는 창의력과 열정을 상징합니다. 내담자는 새로운 인연을 만나는 것을 즐기며, 자신의 관계력과 매력을 발휘하여 새로운 사람들과의 소통을 즐기고 때로는 위기에 처하기도 할 것입니다.

펜타클 5: 이 카드는 안정을 추구하면서도 경우에 따라 원하는 상황에서 어긋날수도 있습니다.. 내담자는 여러 남자와의 교제를 통해 안정감을 찾고, 자신의 필요를 충족시키기 위해 행동할 것입니다. 그러나 이러한 안정과 보안은 단순히 한 사람과의 관계에만 의존하는 것이 아니라, 여러 관계를 통해 찾을 수도 있음을 시사합니다.

상담팁

여러 남자와의 교제를 즐기는 것이 당신에게는 자유롭고 다양한 경험을 제공할 수 있으며, 새로운 사람들과의 만남을 통해 열정과 모험을 추구하는 경향이 있음을 나타냅니다. 그러나 중요한 점은 자신의 가치관과 욕구를 고려하고, 모든 관계를 건강하고 존중받는 방향으로 유지하는 것입니다.

63. 제가 사귀는 여자친구의 성격을 알고 싶어요?
(완드9-펜타클8-완드2-소드7)

완드 9: 이 카드는 성공과 완성을 상징합니다. 당신의 여자친구는 목표를 향해 진취적으로 나아가는 성향을 가지고 있을 것입니다. 자신의 꿈을 향해 열정적으로 노력하며, 성취를 위해 끊임없이 노력하는 모습을 보일 것입니다.

펜타클 8: 이 카드는 안정과 신뢰를 상징합니다. 당신의 여자친구는 안정적이고 신뢰할 만한 성향을 가지고 있을 것입니다. 실용적이고 꾸준한 노력으로 안정된 환경을 구축하고자 할 것입니다.

완드 2: 이 카드는 배움과 발전을 상징합니다. 당신의 여자친구는 지식을 추구하고 새로운 경험을 즐기는 것을 좋아할 것입니다. 호기심이 많고 새로운 아이디어를 탐구하는 것을 즐길 것입니다.

소드 7: 이 카드는 분석과 깊이 있는 사고를 상징합니다. 당신의 여자친구는 사려 깊고 현명한 판단력을 갖추고 있을 것입니다. 객관적으로 상황을 평가하고, 문제를 해결하는 데 있어서도 뛰어난 능력을 발휘할 것입니다.

상담팁

이러한 카드들을 종합해보면, 당신의 여자친구는 목표지향적이고 열정적인 성향을 가지고 있으면서도 안정적이고 현명한 판단력을 갖추고 있을 것입니다. 또한 지식을 추구하고 새로운 경험을 즐기는 것을 좋아하며, 사려 깊고 깊이 있는 사고를 가지고 있을 것입니다. 함께 시간을 보내며 그녀와의 관계를 발전시키는 데 큰 도움이 될 것입니다.

64. 제가 전자책을 100권 쓰는것에 도전하려고 합니다.
시간을 가지고 천천히 도전하면 100권을 완성할수 있는지요.
(황제-펜타클7-나이트완드-별)

이 카드 조합은 전자책 쓰기 도전에 대해 긍정적인 메시지를 전달하고 있습니다.

황제 카드는 권위, 통제, 지도력을 나타내며, 이를 통해 도전을 성공할 수 있다는 메시지를 전달합니다. 펜타클7 카드는 수고와 노력을 통해 목표를 달성할 수 있음을 나타내며, 이는 전자책을 쓰는 것도 마찬가지입니다. 나이트완드 카드는 목표를 향해 달려가는 자신감과 열정을 나타내며, 전자책을 쓰는데 있어서도 이러한 자세가 필요합니다. 마지막으로 별 카드는 성공과 기쁨을 상징하며, 전자책 100권을 완성한다면 큰 성취감을 느낄 수 있을 것입니다.
종합해보면 전자책 100권을 쓰는 도전에 대해 충분한 자신감과을 가지고 있으며, 노력과 시간을 들이면 성공할 수 있을 것입니다. 천천히 하되 꾸준한 노력으로 목표를 향해 나아가면서, 중간에 포기하지 않고 최종 목표를 달성하는 것이 중요합니다.

65. 앞으로 저에게 멋지고 좋은 공감이 잘되고 소통되는 여자친구가 생길까요?

(컵9 -연인-완드9-세계)

좋은 소식입니다.

컵9 카드는 감정적인 만족과 행복을 나타내며, 연인 카드와 함께 새로운 로맨스와 사랑이 시작될 가능성이 있음을 나타냅니다.

또한, 완드9 카드는 열정과 창의성, 에너지가 높아질 때 큰 성과를 이룰 수 있다는 메시지를 전달합니다. 이는 앞으로 여러 가능성이 열릴 것이며, 좋은 소통과 멋진 관계를 만들어 갈 수 있다는 것을 의미합니다.

마지막으로, 세계 카드는 완성과 성취를 상징합니다. 따라서, 이 카드 조합은 새로운 여자친구를 만나 좋은 관계를 형성하는 것이 가능하며, 그 관계가 성장하며 좋은 성과를 이룰 수 있다는 것을 나타냅니다.

상담팁

이 모든 것은 상황에 따라 다르기 때문에, 새로운 여자친구를 만나기 위해서는 계속해서 노력하고 시도해야 합니다. 기다리는 것뿐만 아니라 주도적으로 움직여 새로운 인연을 만들어가는 것이 중요합니다.

66. 요식업을 하고 있습니다. 앞으로 식당 매출이 증가할까요?
(펜타클7-컵4-바보)

펜타클 7 : 경제적인 안정과 성공을 나타내는 카드입니다. 이 카드는 노력과 열정이 매출 증가에 도움이 될 것이라는 긍정적인 메시지를 전달합니다.

컵 4 : 이 카드는 가정적인 안락과 안정을 나타냅니다. 이 카드는 매출 증가에 대한 긍정적인 예감을 갖고 있다는 것을 나타내며, 이는 당신의 고객들이 식당에서 편안하고 즐겁게 식사를 즐기며 돌아오기를 원한다는 것을 의미할 수 있습니다.

바보 : 이 카드는 순진하고 경험이 부족한 상태를 나타냅니다. 이 카드는 내담자가 식당 운영에 필요한 경험이 부족할 수 있음을 나타냅니다. 하지만 이 카드는 동시에 내담자가 새로운 아이디어와 방법을 시도하며 식당을 개선하려는 용기를 가지고 있다는 것을 보여줍니다.

상담팁

매출 증가는 당신의 노력과 열정, 그리고 당신의 고객들이 편안하고 즐겁게 식사를 즐기는 환경을 제공하는 것에 의해 달성될 수 있습니다. 하지만 경험 부족이나 부족한 비즈니스 전략으로 인해 어려움이 있을 수 있으니, 새로운 아이디어와 방법을 시도해 보는 것이 중요합니다.

67. 사업을 하고 있는데 언제쯤 금전운이 풀리고 돈을 많이 벌까요?
(펜타클6-완드3-탑-펜타클8)

펜타클 6은 재정적인 안정과 예산을 관리하는 데 탁월한 능력을 가지고 있다는 것을 나타냅니다. 이 카드는 재물과 자원의 흐름을 통제하고 조절할 수 있는 능력이 있다는 것을 시사합니다.

완드 3은 야심과 열정적인 에너지가 가득한 상황을 나타냅니다. 이 카드는 내담자가 자신의 목표를 추구하며 열심히 노력하고 있음을 보여줍니다. 그러나 이러한 열정적인 상황에서는 종종 대가를 치를 수도 있습니다.

탑은 예기치 못한 변화와 불확실성을 나타내는 카드입니다. 이 카드는 어떤 것이 불필요하게 망가지거나 새로운 가능성이 나타날 수 있다는 것을 시사합니다. 이러한 변화가 긍정적인 영향을 미칠 수도 있고, 부정적인 영향을 미칠 수도 있습니다.

펜타클 8은 풍부한 자원과 행복한 가정을 나타내는 카드입니다. 이 카드는 긍정적인 재정적인 결과를 기대할 수 있다는 것을 시사합니다.

따라서, 이 카드들의 조합으로 보았을 때, 내담자는 재정적인 안정과 예산 관리를 잘하고 있으며 자신의 목표를 추구하기 위해 노력하고 있습니다. 그러나 예기치 못한 변화와 불확실성이 있을 수 있으므로 이러한 가능성을 염두에 두고 대비하는 것이 좋을 것입니다. 결국, 노력과 안정적인 재정 관리가 금전운을 풀어줄 수 있는 길일 것입니다.

68. 가족과의 갈등이 해소될까요?
(전차-페이지 완드-컵8-절제)

전차와 페이지 완드는 변화와 새로운 시작을 상징하는 카드입니다. 이 카드들이 함께 나타나면 가족과의 갈등을 극복하기 위한 새로운 시작이 필요하다는 것을 나타낼 수 있습니다.

컵8은 감정과 관계, 가족적인 문제를 나타내는 카드입니다. 이 카드는 조화로운 관계와 상호 이해를 통해 갈등을 해결할 수 있음을 시사합니다.

하지만 마지막으로 나타난 절제 카드는 인내와 자제력, 중간 길을 찾는 것을 나타냅니다. 이 카드는 갈등을 해결하기 위해서는 인내와 참을성이 필요하다는 것을 암시합니다. 그리고 이 카드는 갈등 해결을 위해 양측 모두가 어느 정도의 타협을 해야한다는 것을 말해줍니다.

따라서 종합해 보면, 가족과의 갈등이 해소되기 위해서는 새로운 시작과 타협이 필요하며, 인내와 자제력을 발휘해야 한다는 것을 나타냅니다. 갈등을 해결하고 가족 관계를 개선하기 위해서는 서로의 입장을 이해하고 타협할 준비를 해야 합니다. 이를 통해 갈등을 극복하고 가족 간의 조화로운 관계를 이룰 수 있을 것입니다.

69. 교제하던 남자와 결혼하게 될까요?
(은둔자-완드3-황제)

은둔자 카드는 혼자서 사색하고 결정을 내리기 위해 고요한 시간을 보내야 한다는 것을 나타냅니다. 따라서 이 카드가 나타난 것은 여성이 현재 시점에서 결혼을 위한 준비보다는 자신의 내면을 탐구하고 혼자서 성장하고자 하는 상황임을 시사합니다.

하지만 완드3은 열정과 창의성, 새로운 시작을 상징합니다. 이 카드는 여성이 새로운 인연을 만나 결혼을 하게 될 가능성이 있음을 시사합니다.

마지막으로 황제 카드는 안정성과 보호, 안락함을 나타냅니다. 이 카드는 결혼을 통해 여성이 안정적인 가정을 이루고자 하는 것을 나타내며, 그녀가 결혼을 통해 안락하고 안정적인 삶을 꿈꾸고 있다는 것을 시사합니다.

상담팁

현재 여성은 혼자서 자신의 내면을 탐구하고 있는 시기이지만, 새로운 인연을 만나 결혼을 하게 될 가능성이 있으며, 결혼을 통해 안정적이고 보호받는 가정을 이루고자 하는 것으로 해석됩니다. 결혼에 대한 선택은 여성의 자유이지만, 이 카드들은 결혼이 가능하다는 긍정적인 가능성을 시사합니다.

70. 상대방은 나에대해 어떤 마음을 가지고 있나요?

(죽음-세계-완드4-힘)

그 여자의 나에 대한 마음은 현재 죽음 카드와 연관되어 있습니다. 죽음 카드는 변화와 변형을 나타내는데, 이는 그 여자의 마음에도 적용될 수 있습니다. 그녀는 현재 나에 대한 관계에서 변화를 원하고 있거나, 그 관계를 끝내고 싶어 할 수도 있습니다.

세계 카드는 완성과 성취를 나타내는데, 이는 그 여자가 나와의 관계에서 목표를 달성하길 원한다는 것을 의미할 수 있습니다. 그리고 완드 4 카드는 인내와 도전을 나타내는데, 이는 그 여자가 나와의 관계에서 어려움을 극복하고자 하는 강한 의지를 가지고 있다는 것을 보여줄 수 있습니다.

마지막으로, 힘 카드는 자신감과 결단력을 나타내는데, 이는 그 여자가 나와의 관계에서 강한 자신감과 결단력을 가지고 있다는 것을 나타내줄 수 있습니다.

따라서 그녀는 나에 대해 강한 감정을 가지고 있지만, 이 감정은 현재 변화의 중심에 있으므로, 상황이 좀 더 명확해지거나 돈독해지고 상대의 기분에 잘 맞추고 서로의 비위를 거스르지않으면 더욱 발전해 나갈수 있음을 암시합니다.

71. 소개팅을 나가는데 좋은 여자를 만날수 있을까요?

(완드9-펜타클8-교황)

완드 9 : 승리와 성취의 에너지를 나타내며, 앞으로의 도전에 대한 자신감과 열정이 있습니다.

펜타클 8 : 재물과 안정성을 상징하며, 현재의 노력과 지속적인 노력으로 성과를 이룰 수 있다는 것을 암시합니다.

교황 : 지혜와 권위, 전통을 나타내며, 현재의 선택과 행동에 대한 직관력과 판단력이 필요하다는 것을 암시합니다.

상담팁

소개팅에서 여성을 만날 가능성이 높습니다. 완드 9의 승리와 성취의 에너지가 있으므로, 이번 소개팅에서는 자신감 있게 나서는 것이 좋을 것입니다. 또한, 펜타클 8의 재물과 안정성이 나타나므로, 좋은 인연을 만들어 현재와 미래에 이로운 변화를 가져올 수도 있습니다.

마지막으로 교황 카드는 현재의 선택과 행동에 대한 직관력과 판단력이 중요하다는 것을 상기시켜줍니다. 따라서 소개팅에서 적극적으로 나서는 것은 좋지만, 지나치게 무리한 행동은 오히려 역효과를 일으킬 수 있으니 주의해야 합니다.

72. 이번달의 운세는 어떻게 진행될까요?
(악마-펜타클9-컵8)

악마 : 유혹과 타락, 제어력을 나타내며, 자신의 욕망에 사로잡힐 가능성이 있습니다.

펜타클 9 : 안정성과 보수성, 노력에 대한 보상을 나타내며, 현재의 노력이 미래에 대한 안정성을 가져다 줄 수 있다는 것을 암시합니다.

컵 8 : 만족과 안락함, 조화를 나타내며, 현재의 관계나 상황에서 뿌리 깊은 만족감을 느낄 수 있다는 것을 나타냅니다.

상담팁

내일의 일진은 안정성과 보수성이 중요할 것으로 보입니다.
펜타클 9의 노력과 보상, 그리고 컵 8의 만족과 조화가 나타나므로, 현재의 노력이 미래에 안정성과 만족감을 가져다 줄 수 있습니다. 그러나, 악마 카드가 함께 나타나면서 자신의 욕망에 사로잡힐 가능성이 있으므로, 현재의 선택과 행동에 주의해야 합니다.

자신의 욕망에 지나치게 사로잡히지 않도록 조심해야 하며, 타인에게서도 유혹을 받을 수 있으니 경계하는 것이 좋습니다. 이러한 상황에서도 펜타클 9와 컵 8의 에너지를 기억하며, 안정성과 만족을 위해 노력하는 것이 중요할 것입니다.

73. 나의 재능에 대해 잘 알고 싶습니다.
(컵2 - 행맨 - 킹완드)

컵 2, 행맨, 그리고 킹완드 카드를 종합하여 해석해보면 다음과 같습니다.

컵 2 : 사랑, 감정, 관계, 협력을 나타내며, 타인과의 관계에서 능동적인 태도와 상호작용이 중요하다는 것을 암시합니다.

행맨 : 희생과 순종, 변화와 깨달음, 잠재력을 나타내며, 현재의 상황에서 일시적인 희생이나 변화를 통해 새로운 것을 발견할 수 있다는 것을 암시합니다.

킹완드 : 지도자, 자신감, 명성, 결단력을 나타내며, 자신의 목표를 위해 결단력 있게 행동하는 것이 중요하다는 것을 암시합니다.

상담팁

나의 재능과 적성은 타인과의 관계에서 능동적이며 상호작용을 중시하는 것이 중요하고, 또한 변화와 새로운 것을 발견하는 데에도 재능이 있을 것입니다.

행맨 카드가 나타나면서, 일시적인 희생이나 변화를 통해 새로운 자신을 발견할 수 있다는 것을 암시합니다. 또한, 킹완드 카드가 나타나므로, 자신의 목표를 위해 결단력 있게 행동하는 것이 중요할 것입니다.

이러한 해석을 바탕으로, 나는 타인과의 관계에서 소통과 상호작용이 중요하며, 새로운 것을 발견하는 데에도 능숙할 것입니다. 또한, 자신의 목표를 위해 결단력 있게 행동하는 것이 중요하며, 일시적인 희생이나 변화를 통해 새로운 것을 발견할 수 있다는 것을 염두에 두어야 합니다.

74. 직장에서 갈등을 잘 해결할수 있을까요?

(펜타클6-쏘드3-은둔자)

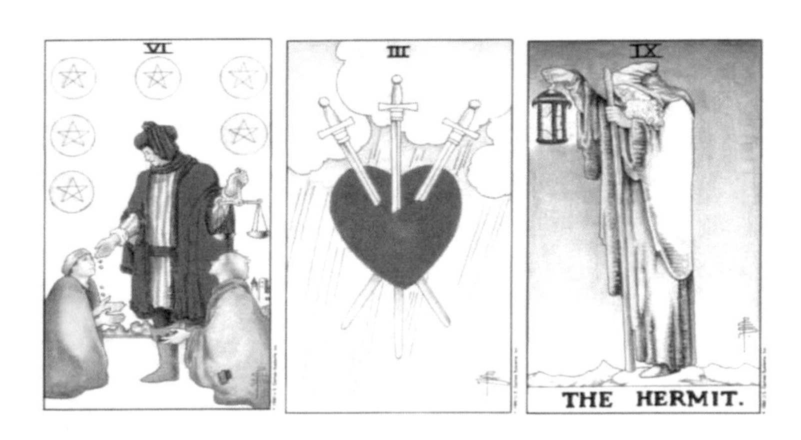

펜타클 6 : 직장, 일, 업무, 돈을 나타내며, 현실적인 문제와 관련된 것을 암시합니다. 또한, 펜타클 6은 팀워크와 협동의 중요성을 강조하는 카드입니다.

쏘드 3 : 갈등, 분쟁, 어려움, 싸움, 불만족스러운 상황을 나타내며, 갈등을 조율하거나 해결하는 데 필요한 능력을 암시합니다.

은둔자 : 내적 성장, 고독, 자기 깨달음, 지혜를 나타내며, 혼자서 내면의 성장에 집중해야 할 필요성을 암시합니다.

종합하여 보면, 상사와 인간관계를 잘 할 수 있는 능력이 있지만, 삶의 현실적인 문제와 갈등이 있을 수 있음을 나타냅니다. 또한, 갈등을 조율하거나 해결하는 데 필요한 능력을 가지고 있으며, 내면의 성장과 지혜를 추구해야 하는 상황임을 암시합니다.

상담팁

이 타로 해석을 바탕으로 상사와 인간관계를 잘 할 수 있는 능력을 가지고 있지만, 현실적인 문제와 갈등을 조율하거나 해결하는 데 노력해야 할 것입니다. 또한, 내면의 성장과 지혜를 추구하는 것도 중요할 것입니다.

75. 내가 사귀는 사람의 장점은 무엇인가요?

(절제-페이지펜타클-정의)

절제 : 절제, 조절, 균형, 중재를 나타내며, 감정적인 조절과 참을성을 가지고 있다는 것을 암시합니다.

페이지 펜타클 : 새로운 시작, 발전, 성장, 창의성, 지식을 나타내며, 잠재력이 높은 것을 암시합니다.

정의 : 균형, 공정, 결정, 판단, 조정을 나타내며, 합리적이고 현명한 판단을 내릴 수 있는 능력을 가지고 있다는 것을 암시합니다.

해석해보면, 그 여자의 장점은 감정을 잘 조절하며, 참을성이 높다는 것입니다. 또한, 새로운 시작과 성장, 창의성과 지식을 가지고 있으며, 잠재력이 높은 것을 암시합니다. 이러한 능력과 잠재력을 바탕으로 합리적이고 현명한 판단을 내릴 수 있어 균형과 공정한 사고를 가지고 있다는 것을 암시합니다.

상담팁

그 여자의 장점은 감정적인 조절과 참을성, 새로운 시작과 성장, 지식과 창의성, 그리고 합리적이고 현명한 판단력이라고 할 수 있습니다.

76. 상대방의 취약점이나 단점에 대해 알고 싶어요.
(악마-완드4-페이지쏘드)

악마 : 유혹, 중독, 부정적인 패턴, 권력, 속박을 나타내며, 상대방이 부정적인 패턴이나 중독적인 행동을 할 가능성이 있음을 암시합니다.

완드 4 : 수고, 고난, 희생, 충동, 고민을 나타내며, 상대방이 감정적으로 불안정하고 충동적인 결정을 내릴 수 있으며, 고민이나 걱정이 많을 수 있다는 것을 암시합니다.

페이지 쏘드 : 새로운 아이디어, 영감, 호기심, 유연성, 균형을 나타내며, 상대방이 아직 경험이 부족하거나 결정을 내리기 전에 충분한 생각과 분석을 하지 않을 수 있다는 것을 암시합니다.

이 카드 해석을 종합하여 보면, 상대방의 단점이나 취약점은 부정적인 패턴이나 중독적인 행동을 할 가능성이 있으며, 감정적으로 불안정하고 충동적인 결정을 내릴 수 있다는 것입니다. 또한, 고민이나 걱정이 많을 수 있으며, 결정을 내리기 전에 충분한 생각과 분석을 하지 않을 수 있다는 것을 암시합니다.
따라서, 상대방의 단점은 부정적인 패턴이나 중독적인 행동, 감정적인 불안정성과 충동성, 고민과 걱정이 많은 것, 그리고 결정을 내리기 전 충분한 생각과 분석의 부족일 수 있다는 것입니다.

77. 남자친구의 변태적인 행위를 고칠수 있을까요?
(황제-펜타클7-퀸완드)

황제 : 권위, 통제, 지혜, 안정, 성숙함을 나타내며, 남자친구가 변태적인 행동을 고칠 수 있는 능력을 가지고 있음을 암시합니다.

펜타클 7 : 재산, 안정, 풍요로움, 성공, 계획을 나타내며, 변태적인 행동을 고치기 위해 노력하면서 안정적인 삶을 지킬 수 있음을 암시합니다.

퀸완드 : 영리함, 지식, 분석, 이성, 진취성을 나타내며, 변태적인 행동을 수정하고 발전시킬 수 있는 영리함과 이성을 가지고 있음을 암시합니다.

결과적으로 남자친구가 안정적인 삶을 유지하면서 노력하면 변태적인 행동을 고칠 수 있다는 것입니다. 또 남자친구가 영리함과 이성을 가지고 있기 때문에 변태적인 행동을 수정하고 발전시킬 수 있을 것으로 예상됩니다.

78. 직업을 구하고 있습니다. 취업이 될수 있을까요?
(바보-연인-완드3)

바보 : 순진함, 경험이 부족함, 실수를 할 가능성이 높음을 나타내며, 요구되는 전문성과 경험이 부족할 가능성이 있음을 암시합니다.

연인 : 선택, 애정, 조화, 판단을 나타내며, 이루고자 하는 목표에 대해 선택과 판단을 잘하며, 애정을 가지고 추진할 수 있다는 것을 암시합니다.

완드 3 : 창조적인 역량, 목표에 대한 열망, 에너지, 활동성을 나타내며, 필요한 역량과 에너지를 가지고 목표를 추진할 수 있다는 것을 암시합니다.

상담팁

현재 회사에서 필요한 전문성과 경험이 부족하거나 미흡할 수 있습니다. 하지만, 이루고자 하는 목표에 대해 선택과 판단을 잘하며, 애정을 가지고 추진할 수 있는 열망과 활동성을 가지고 있습니다. 따라서, 취업하기 위해 필요한 능력과 열망을 가지고 있지만, 부족한 부분들을 보완하며 노력해 나가야 할 것입니다.

79. 직장의 상사는 나를 어떻게 바라볼까요?
(완드7-여사제-바보)

완드7, 여사제, 바보 카드는 상사가 나에게 대해 갖는 생각과 태도를 나타냅니다. 업무와 진취적인 태도, 리더십 등을 상징합니다. 이 카드는 상사가 당신을 향해 조금 더 진취적이고 열정적인 태도를 가지고 있을 가능성이 있음을 나타냅니다.

여사제는 지혜와 지식, 숙고와 신념, 내면의 명상과 깊이 있는 질문 등을 상징합니다. 이 카드는 상사가 당신을 더욱 깊이 있는 시선으로 바라보며, 내담자가 가진 능력과 잠재력에 대해 인식하고 있을 가능성이 있음을 나타냅니다.

하지만 바보 카드는 순진하고 경험이 부족하다는 의미가 있습니다. 상사가 당신에 대해 이러한 인식을 가지고 있지 않을 가능성도 있습니다. 따라서 당신의 능력과 역량을 적극적으로 발휘하며 상사와의 소통을 통해 더 나은 관계를 형성해 나가는 것이 좋을 것입니다.

80. 어떻게 하면 연인에게 사랑을 받을수 있을까요?
(악마-에이스컵-나이트완드)

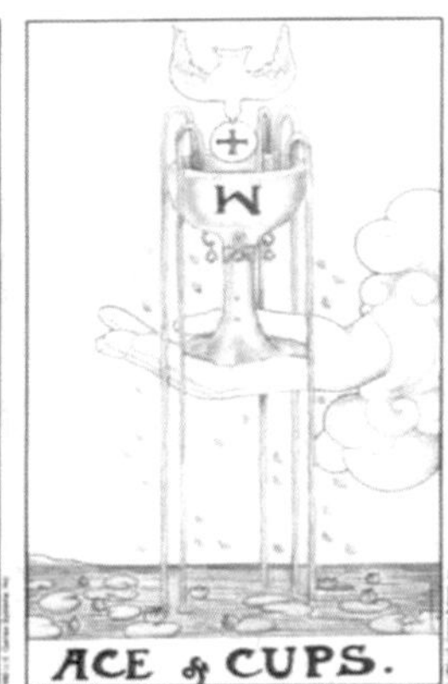

악마, 에이스컵, 나이트완드 카드는 연인과의 사랑 관계에서 다정다감함을 얻는 방법을 나타냅니다.

악마 카드는 유혹과 충동, 어둠의 면을 상징합니다. 이 카드가 나타난다면, 다정한 사랑을 얻기 위해 연인에게 유혹적인 요소를 사용하거나 감정의 어둠에서 벗어나는 노력이 필요할 수 있음을 나타냅니다.

에이스컵 카드는 새로운 사랑과 열정, 진심 어린 감정을 상징합니다. 이 카드가 나타난다면, 연인에게 진심 어린 감정과 새로운 사랑을 전하며 다정한 태도를 취해야 함을 나타냅니다.

나이트완드 카드는 성취와 열정, 활동적인 태도를 상징합니다. 이 카드가 나타난다면, 연인에게 더욱 활발하고 적극적인 태도로 다가가고, 그녀와 함께 새로운 경험과 즐거움을 찾아야 함을 나타냅니다.

상담팁

부인에게 다정하고 감미로운 태도로 다가가고, 진심 어린 감정을 전하며, 활발하고 적극적인 태도로 그녀와 함께 새로운 경험과 추억을 쌓아 나가는 것이 좋을 것입니다.

81. 현재 이사를 계획하고 있습니다. 이사 이동운은 어떤가요?
(컵9-퀸완드-쏘드6)

 이사 이동운은 타로점에서는 대체로 긍정적인 의미를 가지며, 새로운 시작과 변화를 의미합니다.

컵9는 이사로 인해 새로운 환경에서 새로운 인연을 만날 가능성이 높다는 것을 시사합니다. 이는 새로운 동네에서 인연을 만들거나 새로운 직장에서 동료나 상사와 좋은 인간관계를 형성할 수 있다는 것을 의미합니다.

퀸완드는 이사로 인해 새로운 계획을 세우거나 새로운 목표를 가질 수 있다는 것을 시사합니다. 이는 새로운 환경에서 새로운 기회를 찾을 수 있다는 것을 의미합니다.

쏘드6은 이사로 인해 일시적으로 혼란스러울 수 있지만, 결국에는 모든 것이 잘 해결될 것이라는 것을 시사합니다. 이는 이사 과정에서 어려움이 있을 수 있지만, 최종적으로는 좋은 결과를 얻게 된다는 것을 의미합니다.

상담팁

이사 이동운은 긍정적인 의미를 가지고 있으며, 새로운 시작과 변화로 이어질 가능성이 높다는 것을 암시합니다.

82. 짝사랑하는 사람이 있습니다. 그가 나에게 고백을 할까요?
(완드2-컵3-컵5)

타로점을 해석해보면, 그가 당신에게 고백을 할 가능성이 있습니다. 완드 2는 열정과 에너지를 나타내며, 그가 여러 가지 문제를 극복하고 당신에게 다가오고 있다는 것을 의미합니다.

컵 3은 사랑이나 감정을 나타내며, 그가 당신에게 호감을 가지고 있거나, 이미 당신을 좋아하는 것일 수 있습니다.

컵 5는 보상과 축복을 상징하며, 이 관계가 좋은 결과로 이어질 수 있음을 나타냅니다.

하지만 타로점은 모든 상황을 예측하는 것이 아니기 때문에, 이 결과는 단지 가능성일 뿐이며, 그가 실제로 고백할지 여부는 그의 선택에 달려있습니다.

83. 집을 부동산에 내놨는데 한달안에 나갈까요?

(완드9-쏘드4-킹완드)

완드9는 열정과 에너지를 상징하며, 쏘드4는 변화와 결정을 내리는 것을 나타내고, 킹완드는 지도자나 권력자를 상징합니다.

이 집을 부동산에 내놓은 것은 강력한 열정과 에너지에 의해 결정된 것으로 보입니다. 그러나 쏘드4의 영향으로 빠른 결정이 필요하다는 것을 암시하며, 킹완드는 긍정적인 결과를 가져올 가능성이 있지만, 결정적인 지도력이 필요하다는 것을 나타냅니다.

따라서, 2주 안에 집이 나갈 가능성은 높지만, 완전히 확실하지는 않습니다. 부동산 시장이 어떤 상황인지, 집의 상태가 어떤지 등 다른 요인들도 고려해야 합니다. 그러니 집의 상태를 최대한 좋게 유지하고, 가능한 빠른 결정을 내려 집을 팔아나가는 것이 좋겠습니다.

84. 집이 한 채있고 재산이 조금 있습니다. 제가 노령연금을 탈수 있을지요?

(소드7-펜타클8-에이스컵)

소드 7: 이 카드는 분석과 깊이 있는 사고를 상징합니다. 노령연금에 대한 선택은 신중한 판단과 분석이 필요한 문제입니다. 내담자는 현재 상황과 옵션을 심사숙고하고 장기적인 결과를 고려할 것입니다.

펜타클 8: 이 카드는 안정과 안전을 상징합니다. 노령연금은 미래의 안정성을 위한 중요한 요소입니다. 내담자는 현재의 재산과 집에 기반하여 미래를 준비하는 것에 중요성을 두고 있을 것입니다.

에이스 컵: 이 카드는 새로운 감정적인 시작을 상징합니다. 노령연금을 고려함에 있어서도 새로운 가능성과 선택지를 열어놓을 수 있다는 것을 시사합니다. 내담자는 새로운 미래를 준비하고 이를 향해 나아가려는 욕구를 느낄 것입니다.

상담팁

노령연금을 받을 수 있는지는 현재의 재산과 집을 기반으로하여 신중하게 판단해야 합니다. 노령연금은 미래의 안정성을 고려하여 결정해야 하며, 당신의 경우 현재의 안정성과 미래에 대한 계획을 고려할 필요가 있습니다. 이러한 선택은 당신의 미래를 위한 중요한 결정이므로 신중하게 고려해야 합니다.

85. 제가 상담사에 관심이 많아요? 제 꿈을 펼칠수 있을까요?
(소드2-펜타클4-나이트완드-컵9)

소드 2: 이 카드는 결정과 선택을 나타냅니다. 내담자는 목표를 향해 결단력 있게 나아가려는 의지를 보여주고 있습니다. 상담사가 되기 위한 목표를 설정하고 이를 달성하기 위한 결심이 강하다는 것을 시사합니다.

펜타클 4: 이 카드는 안정과 안락함을 상징합니다. 내담자는 안정적이고 실용적인 방법으로 꿈을 실현하기 위해 노력할 것입니다. 상담사로서의 경력을 쌓고 실제로 꿈을 이루기 위한 기반을 구축하는 데 중요한 역할을 할 것입니다.

나이트 완드: 이 카드는 열정과 모험을 상징합니다. 내담자는 상담사로서의 역할에 대한 열정과 탐구심을 가지고 있습니다. 새로운 도전에 대한 용기를 발휘하고, 새로운 지식과 기술을 습득하며 성장할 것입니다.

컵 9: 이 카드는 만족과 행복을 나타냅니다. 내담자가 상담사로서의 역할을 맡게 되면, 이를 통해 내적으로 만족하고 행복을 느낄 수 있을 것입니다. 다른 사람들의 도움을 주고 받으며 자신의 삶을 보다 의미있게 느낄 것입니다.

상담팁

내담자가 상담사로서의 꿈을 펼칠 수 있는 가능성이 높다는 것을 나타냅니다. 내담자는 목표를 향해 결단력 있게 나아가고, 안정적이고 실용적인 방법으로 꿈을 실현하기 위해 노력하며, 열정과 모험을 가지고 새로운 도전에 대처할 준비가 되어 있습니다. 상담사로서의 역할을 맡게 되면, 내적으로 만족하고 행복을 느낄 것입니다. 이러한 노력과 열정을 통해 꿈을 이루는 데 성공할 수 있을 것입니다.

86. 돌싱입니다. 전 처와 재결합이 가능할지요?
(컵7-별-여사제-완드3)

컵 7: 이 카드는 감정적인 연결과 관계를 상징합니다. 전 처와의 재결합을 고려할 때, 감정적인 연결과 어떻게 상호작용하는지에 대해 고려할 필요가 있습니다. 이 카드는 감정적인 조화와 균형을 찾는 것이 중요하다는 것을 시사합니다.

별: 이 카드는 희망과 기대를 상징합니다. 전 처와의 재결합이 가능하다면, 새로운 기회와 새로운 시작을 의미할 수 있습니다. 이 카드는 미래에 대한 긍정적인 전망과 희망을 보여주며, 재결합이 새로운 시작으로 이어질 수 있다는 가능성을 시사합니다.

여사제: 이 카드는 지혜와 내적 집중을 상징합니다. 전 처와의 관계를 다시 평가하고 내적으로 깊이 있는 고민을 해볼 필요가 있음을 시사합니다. 이 카드는 신중하고 명확한 결정을 내리는 데 필요한 내적 집중과 깊은 이해를 강조합니다.

완드 3: 이 카드는 창의성과 성장을 상징합니다. 전 처와의 재결합을 고려할 때, 새로운 관점과 접근 방식을 적용해 볼 필요가 있습니다. 이 카드는 새로운 관계를 구축하고 발전시키는 데 필요한 창의적인 접근이 중요하다는 것을 나타냅니다.

상담팁

전 처와의 재결합 가능성은 존재하지만, 이는 심사숙고하고 감정적인 조화를 찾아가며 새로운 시작과 변화를 수용하는 과정이 필요할 것으로 보입니다. 재결합을 고려할 때에는 감정적인 요소 뿐만 아니라 신중한 판단과 내적 집중이 필요하며, 새로운 관점과 접근 방식을 통해 새로운 관계를 구축하는 데 집중할 필요가 있습니다.

87. 보험 가입을 하였는데 이 보험으로 앞으로 득실을 가져올수 있나요?

(정의- 나이트소드-완드3-컵4)

정의 (Justice): 이 카드는 공평함, 균형, 법률적인 결정과 관련이 있습니다. 보험은 이러한 공평함과 균형을 제공하는 도구 중 하나일 수 있습니다. 이 카드는 보험을 통해 불확실한 상황에 대비하고, 미래의 위험을 줄이는 것이 중요하다는 메시지를 전할 수 있습니다.

나이트 오브 소드 (Knight of Swords): 이 카드는 결단력과 도전을 상징합니다. 보험은 미래의 위험에 대한 도전에 대비하는 것으로 볼 수 있습니다. 이 카드는 보험이 당신을 강력하게 보호하고 미래의 도전에 대비하는 데 도움이 될 것이라는 긍정적인 메시지를 전할 수 있습니다.

완드 3 (Three of Wands): 이 카드는 기대와 확장을 나타냅니다. 보험은 미래를 위해 준비하고 확장하는 과정에서 중요한 역할을 할 수 있습니다. 이 카드는 보험을 통해 새로운 기회를 찾고, 안정성을 확보할 수 있다는 희망적인 메시지를 전할 수 있습니다.

컵 4 (Four of Cups): 이 카드는 만족하지 못하고 불만족스러운 상태를 나타냅니다. 보험은 불확실한 미래에 대한 불안을 완화하고 만족감을 높일 수 있습니다. 그러나 이 카드는 내담자가 보험을 통해 얻는 이점을 충분히 인식하고 그것에 만족할 필요가 있다는 경고도 할 수 있습니다.

상담팁

보험을 통해 미래의 위험에 대비하고 안정성을 확보할 수 있을 것으로 전해집니다. 그러나 이 보험이 당신에게 얼마나 큰 이득을 가져다 줄지, 그리고 어떤 위험을 완화해 줄 수 있는지는 구체적인 상황과 보험 계약의 조건에 따라 다를 것입니다. 따라서 보험에 대한 신중한 검토와 이해가 필요합니다.

88. 어머니의 병환이 앞으로 차도를 가져올까요?
(행맨-완드3-소드7-완드7)

행맨 (The Hanged Man): 이 카드는 희생, 제한, 깨달음을 나타냅니다. 어머니의 병환은 가족과의 관계를 희생하고, 당신의 삶에 제한을 가할 수 있습니다. 그러나 이 카드는 새로운 시각과 깨달음을 통해 이 어려움을 이겨낼 수 있다는 희망을 제공합니다.

완드 3 (Three of Wands): 이 카드는 기대와 확장을 나타내며, 당신이 어머니의 병환을 통해 새로운 기회를 찾고 확장할 수 있다는 긍정적인 메시지를 전합니다. 이 어려운 시간을 통해 내담자는 성장하고 발전할 수 있습니다.

소드 7 (Seven of Swords): 이 카드는 속임수, 배신, 은밀함을 상징합니다. 어머니의 병환은 당신에게 현실적인 도전과 위협을 제공할 수 있으며, 때로는 배신감과 은밀함을 야기할 수 있습니다. 이 카드는 당신이 조심스럽고 신중하게 대처해야 한다는 경고를 제공합니다.

완드 7 (Seven of Wands): 이 카드는 도전과 저항을 상징합니다. 어머니의 병환은 당신에게 많은 도전을 제공할 것이며, 이를 이겨내기 위해 강인한 의지와 결의가 필요할 것입니다. 그러나 이 카드는 당신이 이 도전에 맞서고 이겨낼 수 있다는 자신감을 부여합니다.

상담팁

어머니의 병환은 당신에게 어려움을 안겨줄 것이지만, 내담자는 이를 통해 성장하고 발전할 수 있습니다. 하지만 주의할 점은 어머니의 병환으로 인한 감정적인 도전과 현실적인 어려움에 대처하기 위해 신중하고 조심스럽게 대처해야 한다는 것입니다. 이런 어려운 시간을 통해 내담자는 자신의 내면적인 힘을 발견하고, 어머니에게 필요한 지지와 도움을 제공할 수 있을 것입니다.

89. 우울증이 개선될수 있을까요?

(운명의수레바퀴-완드7-완드9)

운명의 수레바퀴 (The Wheel of Fortune): 이 카드는 운명의 변화와 순환을 나타냅니다. 따라서, 우울증이 개선될 수 있음을 시사합니다. 이 카드는 어떤 것이든 변할 수 있다는 것을 상기시켜줍니다. 우울증은 변화하는 상태이며, 이러한 상태가 개선될 수 있다는 희망을 제공합니다.

완드 7 (Seven of Wands): 이 카드는 도전과 저항을 상징합니다. 우울증은 종종 내부적인 갈등과 외부적인 압력으로 인해 발생할 수 있습니다. 이 카드는 우울증과의 싸움이 힘들고 도전적일 수 있지만, 내담자가 그것에 맞서서 이겨낼 수 있다는 메시지를 전합니다.

완드 9 (Nine of Wands): 이 카드는 인내와 강인함을 상징합니다. 우울증을 이겨내기 위해서는 인내심과 강인한 의지가 필요합니다. 이 카드는 내담자가 어려움을 이겨내고, 더 나은 상황을 향해 나아갈 수 있다는 희망을 제공합니다.

상담팁

우울증이 개선될 수 있음을 시사합니다. 운명의 수레바퀴는 모든 것이 변할 수 있다는 희망을 주고, 완드 7은 도전과 저항에 대한 경고를 하면서도, 완드 9는 인내와 강인함을 강조합니다. 따라서, 적절한 지원과 치료를 받으면 우울증을 극복하고 더 나은 삶을 살 수 있을 것입니다. 하지만 전문가의 도움을 받는 것이 중요합니다.

90. 소송에 걸려 있습니다. 소송에서 이길수 있을까요?
(운명의수레바퀴 -퀸컵-완드10-컵4)

운명의 수레바퀴 (The Wheel of Fortune): 이 카드는 운명의 변화와 순환을 나타냅니다. 소송에서의 결과는 변할 수 있으며, 운명의 수레바퀴는 그 결과가 변화할 수 있다는 가능성을 시사합니다.

퀸 오브 컵스 (Queen of Cups): 이 카드는 감정적인 지혜와 인내력을 상징합니다. 소송에서 흐름을 이해하고 감정적으로 안정된 상태를 유지하는 것이 중요할 것입니다. 퀸 오브 컵스는 감정적인 측면을 중요시하고 조절하는 데 도움이 됩니다.

완드 10 (Ten of Wands): 이 카드는 부담과 과중된 책임을 나타냅니다. 소송은 종종 부담스럽고 스트레스를 유발할 수 있으며, 완드 10은 이러한 부담을 경험할 수 있다는 것을 암시합니다. 그러나 이 카드는 내담자가 부담을 이겨내고 최종적으로 성공할 수 있다는 희망을 줍니다.

컵 4 (Four of Cups): 이 카드는 만족하지 못하고 불만족스러운 상태를 나타냅니다. 소송 과정에서 내담자가 불만족스러운 결과를 받을 수 있다는 것을 의미할 수 있습니다. 그러나 이 카드는 새로운 시각을 통해 상황을 개선할 수 있다는 메시지도 전합니다.

상담팁

소송에서 이기는 것은 가능하지만 그 과정에서 부담과 감정적인 스트레스를 경험할 수 있습니다. 퀸 오브 컵스와 완드 10은 감정적인 안정과 부담을 이겨내는 데 필요한 힘을 상징하며, 컵 4는 새로운 시각을 통해 상황을 개선할 수 있다는 희망을 줍니다. 하지만 결과는 변할 수 있으므로, 상황을 조심스럽게 평가하고 전략을 세워야 합니다.

91. 소중한 물건을 분실하였습니다. 찾을수가 있을까요?
(소드4-타워-컵9-완드3)

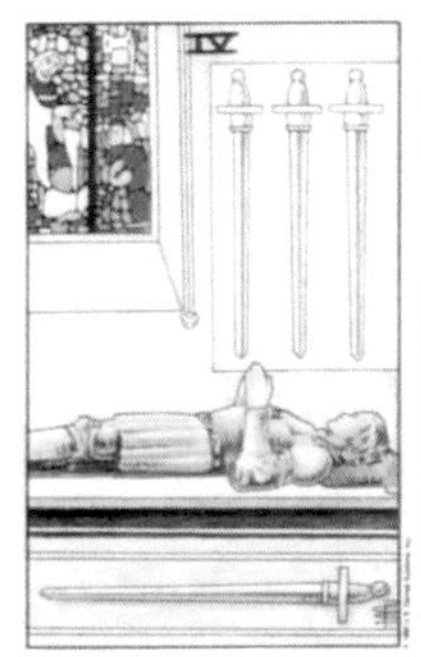

소드 4 (Four of Swords): 이 카드는 쉬고 회복하는 시기를 나타냅니다. 분실한 물건을 찾는 과정에서는 조용하고 집중된 태도가 필요할 것입니다. 이 카드는 마음을 가라앉히고 깊이 생각하며 찾는 데 도움이 될 수 있습니다.

타워 (The Tower): 이 카드는 갑작스럽고 파괴적인 변화를 상징합니다. 분실한 물건을 찾는 과정에서 예상치 못한 일들이 일어날 수 있습니다. 그러나 이 카드는 이러한 변화가 새로운 시작을 야기할 수 있다는 희망을 제공합니다.

컵 9 (Nine of Cups): 이 카드는 만족과 축복을 상징합니다. 분실한 물건을 찾는 과정에서 내담자가 그것을 찾을 수 있다면, 큰 만족과 기쁨을 느낄 것입니다. 이 카드는 행운과 완성을 암시합니다.

완드 3 (Three of Wands): 이 카드는 기대와 확장을 나타내며, 분실한 물건을 찾는 과정에서 새로운 기회를 찾을 수 있다는 희망을 제공합니다. 내담자는 넓은 시야를 가지고 더 나은 결과를 찾을 수 있을 것입니다.

상담팁

분실한 물건을 찾을 가능성이 있습니다. 그러나 이 과정에서 갑작스럽고 예상치 못한 변화가 일어날 수 있으며, 이러한 변화는 새로운 기회를 제공할 수 있습니다. 마음을 가라앉히고 집중하며, 희망을 잃지 않고 노력하면 분실한 물건을 찾을 수 있을 것입니다.

92. 다단계업체에서 어느정도 묶여있는데 빚을 청산하고 잘 빠져나올 수 있나요?

(완드8-탑-태양)

완드 8 (Eight of Wands): 이 카드는 빠른 전개와 진전을 상징합니다. 다단계업체에서 묶여있는 상황에서도 이 카드는 빠르게 변화하고 나아갈 수 있는 가능성을 시사합니다. 이 카드는 내담자가 상황을 변화시키고 진전을 이룰 수 있다는 희망을 제공합니다.

탑 (The Tower): 이 카드는 갑작스러운 변화와 파괴를 나타냅니다. 다단계업체에서의 상황에서는 현재의 구조가 무너지고 새로운 길이 열릴 수 있습니다. 이 카드는 현재의 상황에서 벗어나고 새로운 시작을 준비할 때에는 강력한 변화가 필요할 수 있다는 것을 시사합니다.

태양 (The Sun): 이 카드는 행복, 기쁨, 성공을 상징합니다. 다단계업체에서의 상황에서도 이 카드는 밝은 미래와 긍정적인 결과를 암시합니다. 내담자가 현재의 상황을 극복하고 나아가면서 행복과 성공을 찾을 수 있다는 희망을 제공합니다.

상담팁

다단계업체에서 묶여있는 상황에서도 변화와 진전이 가능하며, 이를 통해 새로운 시작과 성공을 찾을 수 있습니다. 그러나 이 과정에서는 갑작스러운 변화와 혼란이 있을 수 있으므로, 변화에 대한 준비와 개방적인 마음이 필요합니다. 그리고 자신의 목표와 가치를 재평가하고, 긍정적인 에너지와 자신감을 유지하는 것이 중요합니다.

93. 타인들이 저에 대해 어떤 시각으로 볼까요?
(펜타클10- 컵9-연인-킹펜타클)

펜타클 10 (Ten of Pentacles): 이 카드는 안정, 성취, 부유함을 상징합니다. 다른 사람들은 여러분을 안정적이고 성공적으로 보일 것입니다. 여러분은 자신의 삶에서 안정과 안락함을 찾고 있으며, 이러한 특성들이 주변 사람들에게 긍정적인 영향을 미칠 것입니다.

컵 9 (Nine of Cups): 이 카드는 만족과 축복을 상징합니다. 다른 사람들은 여러분을 만족스럽고 행복한 사람으로 보일 것입니다. 여러분은 자신의 삶에 만족하고, 주변 사람들에게 긍정적인 영향을 주는 것으로 보일 것입니다.

연인 (The Lovers): 이 카드는 사랑, 조화, 선택을 상징합니다. 다른 사람들은 여러분을 사랑과 조화를 중요시하는 사람으로 보일 것입니다. 여러분은 주변 사람들과의 관계에서 중요한 역할을 하며, 사랑과 이해를 통해 유대를 형성하는 것으로 보일 것입니다.

킹 펜타클 (King of Pentacles): 이 카드는 안정성, 신뢰성, 부유함을 상징합니다. 다른 사람들은 여러분을 안정적이고 신뢰할 만한 사람으로 보일 것입니다. 여러분은 자신의 역할을 잘 수행하고, 주변 사람들에게 신뢰와 안정감을 줄 것으로 생각됩니다.

상담팁

다른 사람들은 여러분을 안정적이고 성공적이며, 만족스럽고 행복한 사람으로 보일 것입니다. 여러분은 주변 사람들과의 관계에서 사랑과 조화를 중요시하며, 안정성과 신뢰성을 갖춘 사람으로 인식될 것입니다.

94. 도둑이 들어 금전을 잃어버렸는데 찾을수 있을까요?
(킹펜타클-컵9-펜타클3-펜타클9)

킹 펜타클 (King of Pentacles): 이 카드는 안정성, 부유함, 신뢰를 상징합니다. 킹 펜타클은 땅을 잘 다루는 완벽한 사업가를 나타내며, 재물과 자원을 효율적으로 관리하는 능력을 상징합니다. 이 카드는 금전을 찾을 수 있는 능력과 자원을 가졌다는 것을 시사합니다.

컵 9 (Nine of Cups): 이 카드는 만족과 축복을 상징합니다. 금전을 잃어버린 상황에서도 희망을 가져야 한다는 메시지를 전합니다. 만족스러운 결과를 찾을 수 있고, 긍정적인 결과를 기대할 수 있습니다.

펜타클 3 (Three of Pentacles): 이 카드는 협력과 전문성을 상징합니다. 금전을 잃어버린 상황에서는 주변의 도움과 협력이 필요할 것입니다. 전문가들의 조언과 도움을 받으면 금전을 다시 찾을 수 있는 가능성이 높아질 것입니다.

펜타클 9 (Nine of Pentacles): 이 카드는 성취와 부유함을 상징합니다. 금전을 잃어버린 상황에서도 자신의 능력과 노력에 의해 금전을 회복할 수 있음을 시사합니다. 여유와 안정성을 통해 금전을 다시 찾을 수 있는 것으로 보입니다.

상담팁

금전을 잃어버렸지만 여전히 찾을 수 있는 가능성이 있습니다. 킹 펜타클은 자원 관리 능력과 안정성을 상징하며, 펜타클 3은 협력과 전문성을 강조합니다. 컵 9와 펜타클 9는 긍정적인 결과와 성취를 예상할 수 있다는 희망을 제공합니다. 따라서 적절한 노력과 협력을 통해 금전을 다시 찾을 수 있을 것입니다.

95. 군대에 부사관으로 합격할까요?

(나이트컵-킹쏘드-은둔자-정의-컵9)

나이트 오브 컵스 (Knight of Cups): 이 카드는 로맨틱하고 이상적인 성향을 상징합니다. 여기서는 군대 부사관으로서의 역할에 대한 로맨틱한 비전이나 열정을 나타낼 수 있습니다. 부사관으로서의 임무를 위한 감정적인 투입이 필요할 것입니다.

킹 오브 소드 (King of Swords): 이 카드는 논리적이고 분석적인 사고를 상징합니다. 군대에서 부사관으로 일하기 위해서는 객관적이고 전략적인 사고가 필요할 것입니다. 이 카드는 내담자가 그러한 능력을 갖추고 있음을 시사합니다.

은둔자 (The Hermit): 이 카드는 명상, 내면적으로 깨달음을 찾는 시기를 나타냅니다. 부사관으로서의 역할은 종종 고립된 환경에서의 결단력과 자기성찰이 필요할 수 있습니다. 이 카드는 내담자가 내면의 힘과 깊은 이해를 갖고 있음을 나타냅니다.

정의 (Justice): 이 카드는 공정함, 균형, 결정을 상징합니다. 군대에서 부사관으로서 역할을 맡기 위해서는 공정하고 책임감 있는 태도가 필요할 것입니다. 이 카드는 내담자가 공정하고 균형 잡힌 판단력을 가지고 있음을 시사합니다.

컵 9 (Nine of Cups): 이 카드는 만족과 축복을 상징합니다. 군대 부사관으로서의 역할은 자부심과 성취감을 가져다 줄 수 있습니다. 이 카드는 내담자가 부사관으로서의 역할에 만족하고 성공을 이루게 될 수 있다는 희망을 제공합니다.

상담팁

군대 부사관으로 합격할 가능성이 높아 보입니다. 내담자는 감정적인 투입과 논리적인 사고를 결합한 인물로, 책임감 있고 공정한 태도를 갖추고 있습니다. 또한 내면적인 성장과 목표 달성을 통해 성취감을 느낄 수 있을 것입니다. 하지만 실제 결과는 다양한 요인에 따라 달라질 수 있으므로 노력과 자신감을 잃지 않고 계속해서 준비해야 합니다.

96. 이사를 가려고 하는데 좋은 집이 나타날까요?
(운명의 수레바퀴-여왕-황제-완드7)

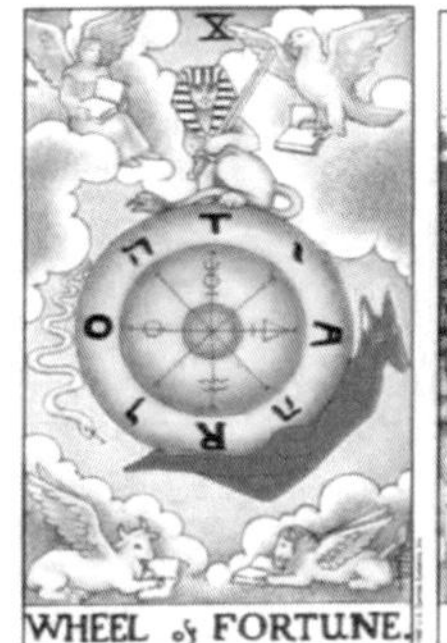

운명의 수레바퀴 (The Wheel of Fortune): 이 카드는 운명의 변화와 순환을 상징합니다. 이사를 위해 좋은 집이 나타날 가능성은 높을 것으로 보입니다. 운명의 수레바퀴는 새로운 기회와 긍정적인 전환을 시사하며, 당신에게 새로운 집을 찾게 될 수 있다는 희망을 제공합니다.

여왕 (Queen): 여왕은 권위와 진취적인 에너지를 상징합니다. 이 카드는 내담자가 자신의 목표를 위해 적극적으로 행동하고 원하는 것을 얻을 수 있다는 것을 나타냅니다. 여왕은 내담자가 집을 찾는 과정에서 결단력 있고 지배력 있는 역할을 할 수 있다는 것을 시사합니다.

황제 (The Emperor): 황제는 통제와 안정성을 상징합니다. 이 카드는 내담자가 원하는 집을 찾는 과정에서 지속적인 노력과 조직력이 필요하다는 것을 암시합니다. 황제는 내담자가 결단력 있고 책임감 있는 태도를 가지고 있음을 나타내며, 이를 통해 좋은 집을 찾을 수 있는 희망을 제공합니다.

완드 7 (Seven of Wands): 이 카드는 도전과 저항을 나타냅니다. 이사를 위해 좋은 집을 찾는 과정은 어려움과 경쟁이 있을 수 있습니다. 하지만 완드 7은 내담자가 이 도전을 극복하고 원하는 집을 찾을 수 있다는 결단력을 갖고 있음을 나타냅니다.

상담팁

이사를 위해 좋은 집이 나타날 가능성이 높습니다. 운명의 수레바퀴는 긍정적인 전환과 새로운 기회를 시사하며, 여왕과 황제는 당신의 결단력과 지배력 있는 태도를 강조합니다.
또한 완드 7은 어려움을 극복하고 집을 찾을 수 있다는 희망을 제공합니다. 따라서 노력과 결단력을 유지하면 좋은 집을 찾을 수 있을 것입니다.

97. 내 남자친구에게 다른 여자가 있을까요?
(컵9-완드7-페이지완드-킹컵)

컵 9 (Nine of Cups): 이 카드는 만족과 축복을 상징합니다. 여기서는 당신의 관계가 만족스럽고 안정되어 있다는 것을 시사할 수 있습니다. 당신의 남자친구가 현재의 관계에서 만족하고 행복하게 느끼고 있다는 의미일 수 있습니다.

완드 7 (Seven of Wands): 이 카드는 도전과 저항을 나타냅니다. 다른 여자와의 관계에 대한 의심이나 경쟁이 있을 수 있습니다. 그러나 완드 7은 내담자가 이러한 도전을 이겨낼 수 있는 결단력과 자신감을 가지고 있다는 것을 암시합니다.

페이지 완드 (Page of Wands): 이 카드는 열정적이고 탐험적인 에너지를 상징합니다. 다른 여자와의 관계에 대한 탐구적인 태도가 있을 수 있습니다. 그러나 페이지 완드는 이것이 당신의 남자친구의 실제 행동인지 아니면 단순히 호기심에 머물러 있는 것인지 분명하지 않다는 것을 시사합니다.

킹 컵 (King of Cups): 이 카드는 감정적인 안정과 깊은 이해를 상징합니다. 당신의 남자친구는 당신과의 관계에서 감정적으로 안정되어 있고, 진심으로 당신을 사랑하고 배려한다는 것을 나타낼 수 있습니다.

상담팁

현재의 관계는 안정되어 있으며 당신의 남자친구는 당신을 진심으로 사랑하고 배려하는 것으로 보입니다. 그러나 완드 7과 페이지 완드는 다른 여자와의 관계에 대한 의심을 암시할 수 있지만, 킹 컵은 그가 감정적으로 안정되어 있다는 것을 강조합니다. 따라서 이러한 의심을 가볍게 여기지 않고, 소통과 신뢰를 바탕으로 상호적으로 해결해 나가는 것이 중요합니다.

98. 남편보다 다른 남자들하고 관계가 더 좋은데 계속 이대로 쭈욱 지속하는 것이 괜찮을까요?
(완드8-완드7-컵9-죽음)

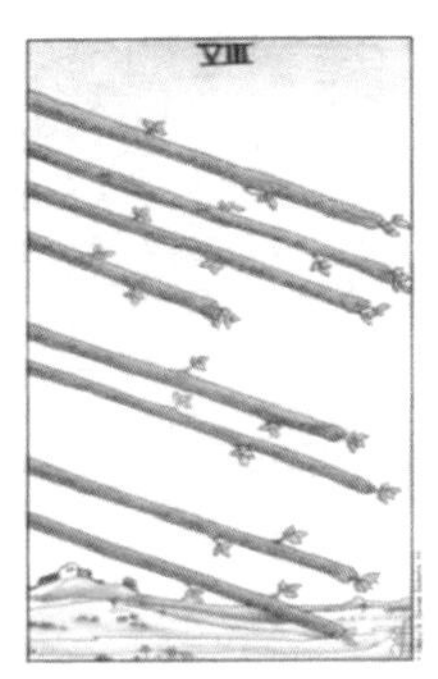

완드 8 (Eight of Wands): 이 카드는 빠른 전개와 진전을 상징합니다. 다른 남자들과의 관계가 현재의 상황을 빠르게 변화시킬 수 있다는 것을 나타냅니다.

완드 7 (Seven of Wands): 이 카드는 도전과 저항을 나타냅니다. 현재의 상황에 대해 주변 환경이나 사회적 압박에 대항하고자 하는 욕구가 있을 수 있습니다.

컵 9 (Nine of Cups): 이 카드는 만족과 축복을 상징합니다. 다른 남자들과의 관계가 당신에게 만족감을 줄 수 있다는 것을 시사합니다.

죽음 (Death): 이 카드는 변화와 새로운 시작을 나타냅니다. 현재의 관계를 끝내고 새로운 시작을 할 필요성을 암시할 수 있습니다.

상담팁

다른 남자들과의 관계가 더 좋다고 느껴질 수 있지만, 현재의 상황을 지속할 것인지 새로운 시작을 할 것인지에 대한 고려가 필요합니다.
완드 8과 죽음 카드는 변화와 새로운 시작을 암시하며, 완드 7은 현재의 상황에 대한 도전을 시사합니다. 컵 9는 만족감을 나타내지만, 이것이 현재의 관계에만 해당하는지, 아니면 새로운 관계에 대한 만족인지도 고려해야 합니다. 따라서 현재의 상황과 자신의 가치관에 대해 심사숙고하고, 결정을 내리는 데 필요한 시간을 가지는 것이 중요합니다.

99. 여자친구에게 나 말고 다른 남자가 있을까요?
(소드3-별-소드7)

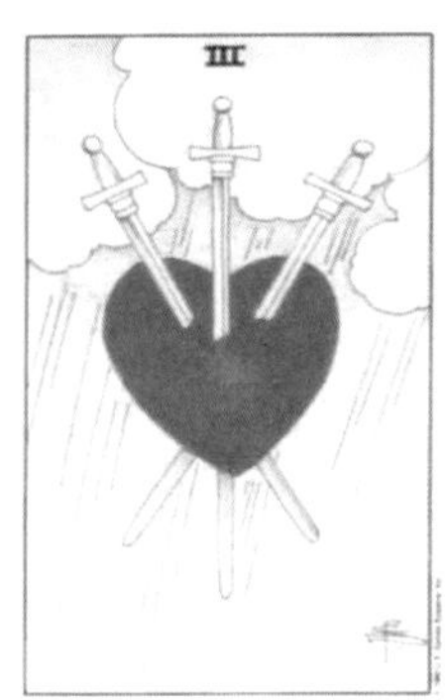

소드 3 (Three of Swords): 이 카드는 심리적인 상처와 슬픔을 상징합니다. 여기서는 내담자가 불안하고 의심스러운 마음을 가지고 있는 것으로 보입니다. 이 카드는 내담자가 여자친구의 다른 남자와의 관계에 대해 걱정하고 있음을 시사합니다.

별 (The Star): 이 카드는 희망과 기대, 신뢰를 상징합니다. 여기서는 내담자가 여자친구에게 희망과 신뢰를 가지고 있는 것으로 보입니다.
이 카드는 당신과 여자친구 간의 관계가 희망적이며 밝은 미래가 있을 것이라는 것을 암시합니다.

소드 7 (Seven of Swords): 이 카드는 속임수와 은밀한 행동을 상징합니다. 이 카드는 내담자가 여자친구의 행동에 대해 의심하고 있거나, 그녀가 당신에게 속고 있다고 생각하는 것을 나타냅니다.

상담팁

내담자는 여자친구와의 관계에 대해 혼란스러운 감정을 가지고 있습니다. 소드 3은 당신의 불안과 슬픔을 보여주며, 소드 7은 여자친구의 행동에 대한 의심을 나타냅니다. 그러나 별 카드는 여전히 희망과 신뢰를 유지하고자 하는 것을 보여줍니다. 이러한 감정을 공개적으로 표현하고 여자친구와 소통하는 것이 관계를 더 강화하고 명확히 할 수 있는 방법입니다.

100. 공인중개사 자격증을 딸수 있을까요?
(완드3-소드7-킹펜타클)

완드 3 (Three of Wands): 이 카드는 기대와 확장을 상징합니다. 여기서는 공인중개사 자격증을 따는 것에 대한 기대와 희망이 있음을 나타냅니다. 내담자는 이를 통해 새로운 기회를 찾을 수 있다고 믿고 있을 것입니다.

소드 7 (Seven of Swords): 이 카드는 속임수와 은밀한 행동을 나타냅니다. 여기서는 공인중개사 자격증을 따는 과정에서 어려움과 장애물이 있을 수 있음을 시사합니다. 내담자는 이러한 도전을 극복해야 할 것입니다.

킹 펜타클 (King of Pentacles): 이 카드는 안정성과 부유함을 상징합니다. 여기서는 내담자가 자격증을 따는 과정에서 안정적이고 집중된 노력을 기울일 것으로 보입니다. 내담자는 이를 통해 성공과 부유함을 얻을 수 있다고 믿고 있을 것입니다.

상담팁

공인중개사 자격증을 딸 수 있는 가능성이 있습니다. 완드 3은 이를 통해 새로운 기회를 찾을 수 있다는 희망을 보여주며, 킹 펜타클은 안정성과 부유함을 암시합니다. 그러나 소드 7은 이 과정에서 어려움이 있을 수 있다는 경고이기도 합니다. 따라서 내담자는 노력과 끈기를 가지고 도전에 맞서고, 안정적인 노력을 통해 자격증을 따는 데 집중해야 할 것입니다.

101. 여자친구의 저에대한 속마음은 무엇일까요?
(펜타클2-컵8-교황-운명의수레바퀴)

펜타클 2 (Two of Pentacles): 이 카드는 균형과 선택을 상징합니다. 여기서는 여자친구가 당신과의 관계를 균형 있게 유지하고자 노력하고 있을 것으로 보입니다. 그녀는 당신과의 관계를 중요하게 생각하며, 두 가지 요소 사이에서 선택을 해야 할지도 모르겠습니다.

컵 8 (Eight of Cups): 이 카드는 이탈과 새로운 시작을 나타냅니다. 여기서는 여자친구가 현재의 상황에 대해 만족스럽지 않을 수도 있고, 더 나은 것을 찾고자 하는 욕구를 가지고 있을 것으로 보입니다. 그녀는 더 나은 관계나 삶의 방향을 찾고 있는지도 모릅니다.

교황 (The Hierophant): 이 카드는 전통, 지식, 조언을 상징합니다. 여기서는 여자친구가 당신과의 관계에 대해 심각하게 생각하고, 외부적인 지식이나 조언에 의존할 수도 있음을 시사합니다. 그녀는 당신과의 관계를 깊게 생각하고 있으며, 관계를 발전시키기 위해 노력할 것입니다.

운명의 수레바퀴 (The Wheel of Fortune): 이 카드는 운명의 변화와 순환을 상징합니다. 여기서는 여자친구가 당신과의 관계에 대해 긍정적인 변화와 발전을 기대하고 있을 것으로 보입니다. 그녀는 당신과 함께 더 나은 미래를 찾고자 하며, 운명의 변화를 기다리고 있을 것입니다.

상담팁

여자친구는 당신과의 관계를 중요하게 생각하며, 더 나은 미래를 기대하고 있습니다. 그러나 현재의 상황에 대해 만족스럽지 않을 수도 있고, 변화를 원하는 욕구를 가지고 있을 것입니다. 내담자는 그녀의 속마음을 이해하고, 서로 소통하며 관계를 발전시키는데 노력할 필요가 있습니다.

102. 제가 전자책을 쓰면 돈을 벌수 있을까요?

(소드2- 무명-나이트컵-펜타클2)

소드 2 (Two of Swords): 이 카드는 결정의 어려움과 막힘을 나타냅니다. 여기서는 전자책을 쓰면서 어떤 주제를 다룰지 혹은 어떤 방향으로 쓸지 결정하기가 어려울 수 있습니다.

무명 (The Hanged Man): 이 카드는 희생과 지연을 상징합니다. 여기서는 전자책을 통해 돈을 벌기 위해 어떤 것을 희생해야 할지 혹은 더 많은 노력과 시간이 필요할 수 있다는 것을 나타냅니다.

나이트 컵 (Knight of Cups): 이 카드는 감정적인 열정과 상상력을 나타냅니다. 여기서는 전자책을 쓰는 과정에서 당신의 감정적인 열정과 창의성이 도움이 될 수 있다는 것을 시사합니다.

펜타클 2 (Two of Pentacles): 이 카드는 균형과 조절을 상징합니다. 여기서는 전자책 작성과 돈을 벌기 위한 노력을 균형 있게 조절할 필요가 있음을 나타냅니다.

상담팁

전자책을 쓰면 돈을 벌 수 있는 가능성이 있지만, 결정을 내리고 어떤 주제를 다룰지 혹은 어떤 방향으로 쓸지 고민해야 할 것입니다. 노력과 희생이 필요하며, 감정적인 열정과 균형 있게 조절된 노력이 성공을 이끌어낼 수 있을 것입니다. 함께 쓰고자 하는 주제나 콘텐츠에 대해 깊이 생각하고, 필요한 경우 외부의 조언이나 지원을 받아서 더 나은 결과를 얻을 수 있을 것입니다.

103. 올해 금전운은 어떻게 전개될까요?
(죽음-나이트컵-태양-펜타클5)

죽음 (Death): 이 카드는 변화와 새로운 시작을 상징합니다. 여기서는 금전 상황이 현재의 변화를 겪고 있을 수 있음을 나타냅니다. 과거의 금전적 상황이 변화하고, 새로운 기회와 가능성이 찾아올 수 있습니다.

나이트 컵 (Knight of Cups): 이 카드는 로맨틱한 성격과 감정적인 열정을 상징합니다. 금전운의 전개에서는 내담자가 감정적인 요소나 열정을 중요하게 생각하고, 이를 통해 긍정적인 변화를 이룰 수 있을 것입니다.

태양 (The Sun): 이 카드는 행복과 성공을 상징합니다. 금전운이 밝고 긍정적으로 전개될 것임을 나타냅니다. 여기서는 긍정적인 결과와 행운이 기다리고 있을 것으로 보입니다.

펜타클 5 (Five of Pentacles): 이 카드는 어려움과 부족을 나타냅니다. 하지만 태양과 함께 나타난다면, 이 카드는 어려운 상황에서 벗어나고 새로운 금전적 안정을 찾을 수 있다는 희망을 제공합니다.

상담팁

올해의 금전운은 변화와 새로운 시작을 통해 긍정적으로 전개될 것으로 보입니다. 당신의 감정적인 요소와 열정이 금전적 변화에 영향을 줄 것이며, 이를 통해 행복하고 성공적인 결과를 이뤄낼 수 있을 것입니다. 그러나 어려움이나 부족이 있을 수 있지만, 이를 극복하여 새로운 금전적 안정을 찾을 수 있을 것입니다. 변화에 대한 긍정적인 마음가짐과 행동이 필요합니다.

104. 제가 다니는 직장에서 성공할수 있을까요?
(완드7-마술사-펜타클5-소드9-페이지컵)

완드 7 (Seven of Wands): 이 카드는 도전과 경쟁을 나타냅니다. 내담자가 다니는 직장에서 성공하기 위해서는 경쟁적인 환경에 대처할 준비가 필요할 것입니다. 이 카드는 내담자가 직면한 도전에 대해 극복할 능력을 갖고 있다는 것을 시사합니다.

마술사 (The Magician): 이 카드는 창의력과 자신감을 상징합니다. 내담자가 다니는 직장에서 성공하기 위해서는 자신의 능력과 잠재력을 최대한 발휘할 필요가 있습니다. 마술사는 내담자가 원하는 목표를 달성하기 위해 필요한 도구와 자원을 가지고 있음을 나타냅니다.

펜타클 5 (Five of Pentacles): 이 카드는 어려움과 부족을 나타냅니다. 다니는 직장에서 성공하기 위해서는 어려움을 극복하고 재정적인 안정을 찾아야 할 것입니다. 이 카드는 내담자가 현재의 어려운 상황을 극복하고 나아가야 한다는 것을 상기시킵니다.

소드 9 (Nine of Swords): 이 카드는 불안과 스트레스를 나타냅니다. 내담자가 다니는 직장에서 성공하기 위해서는 스트레스와 불안을 관리하고 해결해야 할 것입니다. 이 카드는 내담자가 현재의 걱정과 두려움에 과도하게 빠져들지 않아야 함을 상기시킵니다.

페이지 컵 (Page of Cups): 이 카드는 창의적인 가능성과 감정적인 측면을 강조합니다. 내담자가 다니는 직장에서 성공하기 위해서는 자신의 감정을 이해하고 다른 사람과의 관계를 적극적으로 조절할 필요가 있습니다.

상담팁

다니는 직장에서 성공할 수 있는 가능성이 있지만, 어려움과 도전을 극복해야 할 것입니다. 자신의 능력과 자원을 최대한 활용하고, 스트레스와 불안을 관리하며, 창의적인 가능성을 발휘하여 직장에서의 성공을 이루어 나가야 합니다.

105. 어학공부를 좀 하려고 합니다. 성과가 있을까요?
(페이지펜타클-부활-킹완드-완드7)

페이지 펜타클 (Page of Pentacles): 이 카드는 실질적인 노력과 학습을 상징합니다. 어학공부에 대한 당신의 진지한 의지와 노력을 나타냅니다. 이 카드는 새로운 지식을 습득하고 배우기 위해 노력하고 있는 것을 시사합니다.

부활 (Judgment): 이 카드는 새로운 시작과 재탄생을 상징합니다. 여기서는 어학공부를 통해 새로운 가능성이 열릴 것임을 나타냅니다. 과거의 실수나 실패를 바탕으로 새로운 시작을 할 수 있으며, 언어 능력을 향상시켜 새로운 기회를 찾을 수 있을 것입니다.

킹 완드 (King of Wands): 이 카드는 창의력과 열정적인 리더십을 상징합니다. 어학공부를 통해 내담자는 자신의 목표를 위해 열정적으로 노력하고, 학습하는 과정에서 창의력을 발휘할 것입니다. 킹 완드는 내담자가 목표를 향해 지도자적인 자세로 나아갈 수 있다는 것을 나타냅니다.

완드 7 (Seven of Wands): 이 카드는 도전과 경쟁을 상징합니다. 어학공부는 도전적이고 힘든 과정일 수 있지만, 내담자는 그 도전을 극복하고 노력하여 성과를 얻을 수 있을 것입니다. 이 카드는 내담자가 어학공부를 통해 자신의 위치를 지키고, 목표를 달성하기 위해 힘들게 노력할 것임을 나타냅니다.

상담팁

어학공부를 통해 성과를 얻을 수 있는 가능성이 있습니다. 내담자는 실질적인 노력과 열정을 가지고 새로운 지식을 습득하고, 재탄생하는 과정을 통해 새로운 가능성을 발견할 수 있습니다. 도전적인 과정일 수 있지만, 당신의 노력과 열정을 통해 언어 능력을 향상시키고 목표를 달성할 수 있을 것입니다.

106. 헤어진 애인과 재회가 가능할까요?
(소드7-펜타클2-에이스컵)

소드 7 (Seven of Swords): 이 카드는 속임수와 은밀한 행동을 나타냅니다. 애인과의 헤어진 상황에서는 이전에 있었던 믿음의 손실이나 속임수가 있었을 수 있습니다. 이것은 재회를 어렵게 만들 수 있는 요소일 수 있습니다.

펜타클 2 (Two of Pentacles): 이 카드는 균형과 조절을 상징합니다. 재회를 고려할 때는 상황을 균형 있게 평가하고 조절하는 것이 중요합니다. 어떤 선택을 해야 할지 신중하게 고려해야 합니다.

에이스 컵 (Ace of Cups): 이 카드는 새로운 감정적인 시작과 사랑을 상징합니다. 재회의 가능성이 있다면, 새로운 사랑의 시작으로 이어질 수 있습니다. 이 카드는 새로운 감정적인 연결이 생길 수 있음을 시사합니다.

상담팁

재회 가능성이 있다는 것을 나타내는 희망의 요소가 있지만, 그 과정에서 이전에 있었던 문제들을 해결해야 할 필요가 있습니다. 상황을 신중하게 고려하고 균형을 유지하며, 새로운 감정적인 연결을 위한 기회를 고려하는 것이 중요합니다. 만약 재회가 이루어진다면, 새로운 시작으로 나아가고 함께 발전할 수 있을 것입니다.

107. 사주업을 하는데 학업제자를 많이 학보할수 있을까요?
(페이지컵-완드9-완드7-컵2)

페이지 컵 (Page of Cups): 이 카드는 창의력과 감정적인 측면을 상징합니다. 학업제자들은 새로운 지식을 습득하고자 하는 열정과 호기심을 가질 것입니다. 이 카드는 학업제자들과의 감정적인 연결을 통해 교육 및 지식 전달에 성공할 수 있다는 가능성을 나타냅니다.

완드 9 (Nine of Wands): 이 카드는 인내와 끈기를 상징합니다. 학업제자들을 가르치는 과정은 때로는 어렵고 지칠 수 있지만, 끈기를 가지고 인내심을 발휘하여 교육 과정을 성공적으로 이끌어낼 수 있을 것입니다.

완드 7 (Seven of Wands): 이 카드는 도전과 경쟁을 나타냅니다. 학업제자들을 많이 모으려면 경쟁이 치열할 수 있습니다. 그러나 이 카드는 내담자가 경쟁에 대처하고 자신의 위치를 지키며 성공을 이룰 수 있다는 가능성을 시사합니다.

컵 2 (Two of Cups): 이 카드는 협력과 조화를 상징합니다. 학업제자들과의 관계에서는 서로의 요구를 이해하고 협력하여 성공적인 교육 환경을 조성할 수 있을 것입니다. 이 카드는 학업제자들과의 긍정적인 관계가 학업 성과를 향상시킬 수 있다는 가능성을 나타냅니다.

상담팁

사주업에서 학업제자를 많이 얻을 수 있는 가능성이 있습니다. 그러나 이를 이루기 위해서는 감정적인 연결과 협력을 중시하고, 인내와 끈기를 발휘하여 도전과 경쟁을 극복해야 할 것입니다. 학업제자들과의 긍정적인 관계를 구축하여 함께 성장하고 발전하는 과정을 이끌어내는 것이 중요합니다.

108. 빌려준 돈을 받을수 있을까요?

(퀸펜타클-컵10-컵8)

먼저, 퀸펜타클은 부동산, 재정, 실용성을 나타냅니다. 컵10은 완성과 성취, 만족을 상징하며, 컵8은 조화와 균형, 공동체적인 것을 나타냅니다.

이 카드들을 종합해보면, 빌려준 돈을 받을 가능성이 높아보입니다. 퀸펜타클의 영향으로 돈과 재정적인 측면에서의 지원이 있을 것으로 보이며, 컵10의 영향으로 문제가 해결되어 만족스러운 결과가 있을 것으로 예상됩니다.
또한, 컵8의 영향으로 조화로운 상황이 유지될 것으로 보입니다.

그러나, 타로 카드는 예측적인 도구이며, 실제 결과는 다양한 요인에 따라 달라질 수 있습니다. 따라서, 대상자와 상황에 따라 다른 상황이 나타날 수 있습니다.

상담팁

이 카드들은 긍정적인 결과를 예측하므로, 빌려준 돈을 되돌려받을 가능성이 높을 것입니다. 만약 대상자가 아직 돈을 갚지 않았다면, 상황을 정중히 말해보는 것이 좋겠습니다.

109. 남편이 바람이 난거 같은데 새로운 여자가 생겼을까요?
(펜타클10-쏘드3-펜타클5)

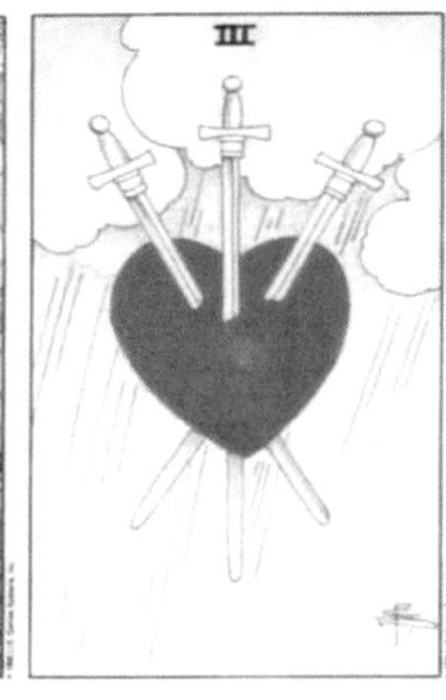

먼저, 펜타클10은 안정과 안전, 재산적 안정을 나타내며, 쏘드3은 갈등과 분리, 결정적인 선택을 내리는 것을 상징합니다. 펜타클5는 안정성과 보수성, 실용성을 나타내는데, 주로 집안일, 가족 문제, 재정 문제와 관련됩니다.

이 카드들을 종합해보면, 현재 남편의 삶에서 안정과 안전, 재산적 안정을 중요시 하고 있는 것으로 보입니다. 쏘드3의 영향으로 갈등이 있었을 수도 있지만, 결정적인 선택을 내릴 수 있는 단계에 도달한 것으로 생각할 수 있습니다. 펜타클5의 영향으로는 가족과 가정적인 문제, 재정적 문제에 대한 관심을 보여주고 있습니다.

따라서, 이 카드들은 현재 남편의 바람과 새로운 여자가 있는지에 대한 명확한 답을 제공하지는 않지만, 일반적으로 현재 가족과 가정 문제, 재정 문제 등에 더 관심을 두고 있는 것으로 해석할 수 있습니다.

실제 결과는 다양한 요인에 따라 달라질 수 있습니다. 따라서, 남편과 대화를 나누는 것이 가장 좋은 방법이 될 것입니다.

110. 이사를 가려고 하는데 몇월에 이사하는것이 가장 좋을까요?
(절제-운명의수레바퀴-행맨)

절제 카드는 균형과 조화를 나타내며, 운명의 수레바퀴 카드는 운명적인 움직임과 전환을 나타내고, 행맨 카드는 어떤 상황에 대한 새로운 시각과 관점이 필요하다는 것을 나타냅니다.

이전 상황이나 현재 상황을 바라보는 새로운 시각을 얻고, 전환과 움직임을 추구해야 한다는 메시지를 전달하고 있습니다. 이사는 새로운 시작을 의미하며, 이전의 환경에서 벗어나 새로운 기회를 만나기 위한 것입니다.
따라서, 이사를 가장 좋은 시기는 봄철인 3월부터 5월 사이입니다.
이 기간은 새로운 시작과 성장의 계절이며, 새로운 환경에서 새로운 기회를 찾을 수 있는 좋은 시기입니다. 또한, 이 기간은 대개 전환과 움직임이 많이 일어나는 시기이기도 합니다.

상담팁

이사를 언제할지는 상황에 따라 다를 수 있습니다. 예를 들어, 긴급한 상황이나 계약 기간, 거주 지역의 입주 가능 일정 등 여러 요소를 고려해야 합니다. 따라서, 이사를 위한 최적의 시기를 선택하기 전에 상황을 면밀히 검토하고, 신중하게 판단하는 것이 중요합니다.

111. 군대 운전병에 지원했는데 합격할까요?
(쏘드8-컵9-에이스완드)

쏘드 8은 군대나 군사적인 상황에서 집중력과 결단력을 나타내는 카드입니다. 이 카드는 또한 문제를 해결하고 장애물을 극복하는 능력을 강조합니다.

컵 9는 감정적인 안정과 만족을 나타내는 카드입니다. 이 카드는 만족스러운 결과를 예상할 수 있으며, 긍정적인 태도와 행동으로 인해 행운이 따르는 것을 시사합니다.

에이스 완드는 새로운 시작과 성공을 나타내는 카드입니다. 이 카드는 새로운 기회를 의미하며, 현재 상황에서 새로운 아이디어나 접근 방식을 도입해 성공을 거둘 수 있다는 것을 암시합니다.

이 점에서는 군대 운전병 지원에 합격할 가능성이 높다는 것을 시사합니다.

상담팁

문제를 해결하고 장애물을 극복하는 능력을 가지고 있으며, 자신의 감정과 상황을 잘 다룰 수 있는 것으로 보입니다. 또한, 에이스 완드 카드는 당신에게 새로운 시작과 기회를 제공할 것임을 시사합니다. 따라서, 이 점에서는 군대 운전병 지원에 대한 긍정적인 결과를 예상할 수 있습니다.

112. 노래방을 사업을 창업하려고 하는데 잘 될수 있을지요?
(완드9-완드6-쏘드3)

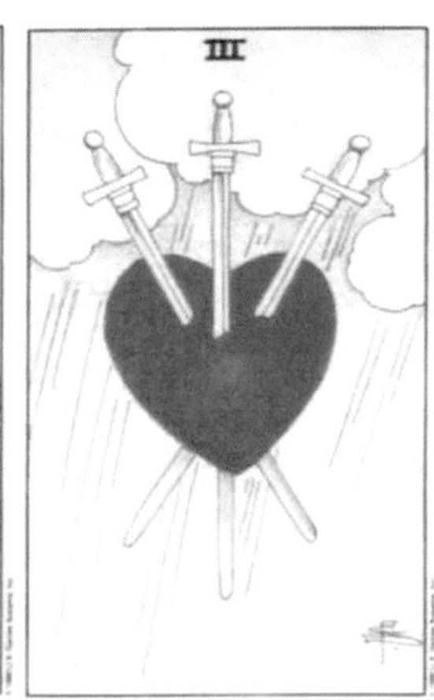

완드9은 대담하고 자신감이 넘치는 상태를 나타내며, 사업 창업에 있어서도 매우 긍정적인 전망을 보입니다.
하지만 완드6은 어떤 문제가 발생할 수 있음을 시사합니다. 이는 사업을 시작하는 과정에서 예상치 못한 문제가 발생할 수 있으며, 이에 대처할 준비가 필요하다는 것을 알려주고 있습니다.
쏘드3은 시련과 어려움을 경험할 가능성이 있음을 나타냅니다. 하지만 이는 내담자님의 인내심과 결단력으로 극복할 수 있는 문제입니다.

따라서, 타로 카드의 결과를 종합해보면, 내담자님이 노래방 사업을 창업하는 것은 일단은 긍정적인 전망을 가지고 있지만, 예상치 못한 문제와 어려움이 발생할 수 있다는 점을 염두에 두고, 이를 극복하기 위해 인내심과 결단력을 갖추어 준비를 해야 한다는 것을 알려주고 있습니다.

113. 수술을 하려고 하는데 괜찮을까요?

(쏘드10-펜타클9-데쓰)

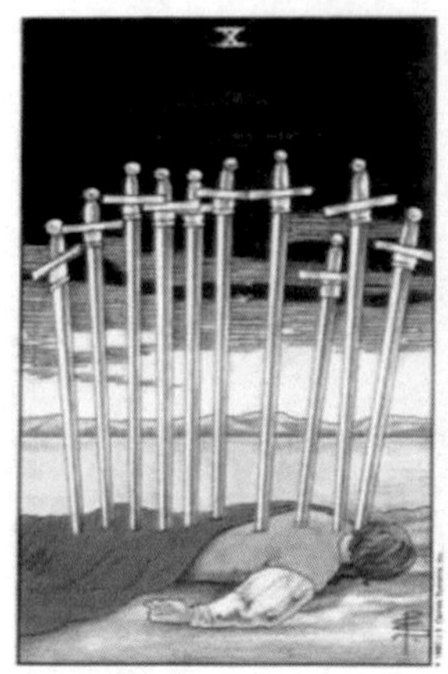

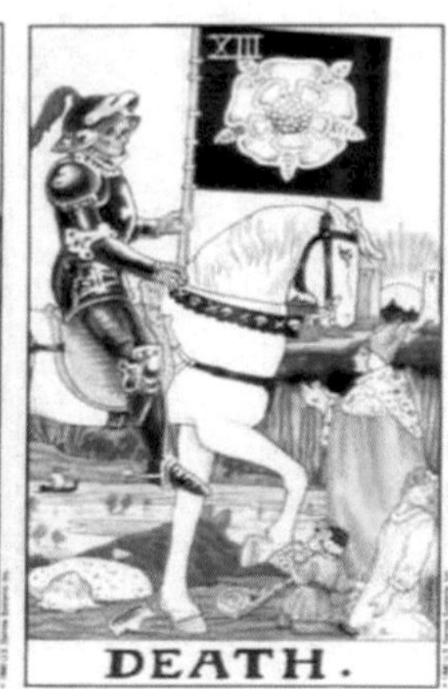

쏘드 10은 결정적인 선택과 결정을 내리는 시기를 나타내는 카드입니다. 이 카드는 현재 상황을 분석하고 대처할 수 있는 지적 능력과 명확한 판단력을 나타내며, 장기적인 목표를 위한 계획과 실행력이 필요하다는 것을 암시합니다.

펜타클 9는 안정적인 상황과 성취를 나타내는 카드입니다. 이 카드는 노력에 대한 보상과 지속적인 성장을 나타내며, 안정적인 상황에서 건강을 유지하고 안정적인 생활을 유지할 수 있다는 것을 시사합니다.

데쓰 카드는 종종 마침내 일련의 상황이 끝남을 나타내는 카드입니다. 이 카드는 종종 변화와 새로운 시작을 의미하지만, 때로는 변화와 새로운 시작 대신 끝을 의미하기도 합니다.

상담팁

정관수술에 대한 결정을 내리기에 적절한 시기임을 암시합니다. 내담자는 현재 상황을 분석하고 결정을 내리기 위한 지적 능력과 판단력을 가지고 있으며, 안정적인 상황에서 성장하고 발전할 수 있는 가능성이 있습니다. 그러나 데쓰 카드의 등장은 이것이 매우 중요하고 심각한 결정임을 나타내며, 신중하게 생각하고 전문가의 충분한 조언과 검사를 받는 것이 좋습니다.

114. 올해 돈을 많이 벌수 있을까요?
(쏘드2-펜타클7-부활)

쏘드2는 결정을 내리는 시기에 대한 카드입니다. 이 카드는 선택과 집중, 행동에 대한 확신을 나타냅니다. 따라서, 내담자는 돈을 많이 벌기 위한 선택과 집중이 필요할 것입니다.

펜타클7은 돈, 자원, 재산과 관련된 것들을 나타내는 카드입니다. 이 카드는 노력이 대단한 성과를 가져올 수 있음을 나타냅니다. 따라서, 내담자가 노력하고 계획적으로 행동하면 돈을 많이 벌 수 있을 것입니다.

부활 카드는 새로운 시작과 재생의 의미를 가지고 있습니다. 이 카드는 어려움과 실패에서 회복하는 것을 나타내며, 새로운 기회와 가능성을 제공합니다. 따라서, 지금까지 잘못된 방향으로 가던 것을 뒤로 하고, 새로운 기회를 찾아 노력하면 돈을 많이 벌 수 있는 가능성이 높아질 것입니다.

하지만, 타로 점은 미래를 백프로 정확하게 예측해 주지는 않습니다. 현재 상황과 태도에 대한 일종의 조언입니다. 따라서, 돈을 많이 벌고자 한다면, 노력하고 계획을 잘 세우며, 새로운 기회를 적극적으로 찾아보는 것이 중요합니다.

115. 쇼핑몰에서 부적을 판매하려고 하는데 판매실적이 좋을까요?
(펜타클10-컵4-달-킹컵)

펜타클10은 돈, 자원, 재산과 관련된 것들을 나타내는 카드입니다. 이 카드는 성공적인 사업과 금전적인 성취를 예고합니다. 따라서, 전자책 판매에서도 좋은 성과를 이룰 수 있을 것입니다.

컵4는 감정과 관련된 카드입니다. 이 카드는 충동적인 결정보다는 신중하고 현명한 선택이 필요하다는 것을 나타냅니다. 따라서, 전자책 판매를 위해서는 철저한 계획과 마케팅 전략이 필요합니다.

달 카드는 창의성과 직관력을 나타내며, 가끔은 불확실한 상황이나 괴로움을 경험할 수도 있습니다. 전자책 판매는 경쟁이 치열한 분야이기 때문에, 적극적인 마케팅과 창의적인 접근이 필요할 것입니다. 당신이 불확실한 시기를 경험하더라도, 전자책 판매를 위한 노력과 창의력이 있을 경우 성공할 가능성이 높습니다.

킹컵은 타인과의 협력과 커뮤니케이션, 소통이 중요하다는 것을 나타냅니다. 따라서, 전자책 판매에서는 타인과의 협력과 지지를 받을 수 있는 인맥 구축과 소통이 필요합니다.

상담팁

결과는 전자책 판매에서 좋은 실적을 보일 가능성이 높다는 것을 나타냅니다. 하지만, 충동적인 결정보다는 신중하게 계획하고, 창의적이며, 타인과의 협력과 소통이 중요한 것을 염두에 두시면 더욱 좋은 결과를 얻을 수 있을 것입니다.

116. 결혼하여 가정을 꾸리고 싶습니다. 결혼운을 알고 싶어요 구체적이고 자세한 상담을 부탁 드립니다.

(오른쪽 카드) 달 - 세계 - 황제

(왼쪽카드) 악마 - 쏘드7 - 부활

카드 해석을 보면, 오른쪽 카드는 "달 - 세계 - 황제"입니다. 달은 내면의 불안이나 혼란을 나타내며, 세계는 목표 달성과 만족감을 의미하며, 황제는 권위나 통제력을 나타냅니다. 이를 종합해 보면, 현재 내면의 불안과 혼란이 있지만, 자신의 목표를 이루고 만족을 느낄 수 있으며, 권위나 통제력을 가진 사람과 함께하고 싶어하는 욕구가 있다는 것을 알 수 있습니다.

그러나 왼쪽 카드를 보면, "악마 - 쏘드7 - 부활"입니다. 악마는 유혹이나 중독을 나타내며, 쏘드7은 분리와 갈등을 의미하고, 부활은 새로운 시작을 나타냅니다. 이를 종합해 보면, 내담자가 가고자 하는 방향으로 나아가려면, 유혹과 갈등을 극복하고, 새로운 시작을 하는 것이 중요하다는 것을 알 수 있습니다.

상담팁

집에서 시집을 늦게 가라는 말을 듣고 있지만, 내담자가 행복하게 살기 위해서는 결국 시집을 빨리 가는 것이 좋을 수 있습니다. 그러나 시집을 가기 위해서는 경제적인 문제나 다른 문제들도 고려해야 합니다. 이에 대해서는 가족들과 충분한 대화를 나누어야 할 것입니다.
또한, 하루라도 남자가 없으면 살 수 없다는 생각은 이상한 것이 아닙니다. 하지만 이는 자신이 혼자서도 충분히 행복하게 살아갈 수 있는 능력을 갖추는 것이 중요합니다.

117. 앞으로 유망한 아이템과 직업이나 발전하게될 사업은 어떤것들이 있을까요?

(페이지쏘드-에이스펜타클-페이지컵-완드8-달)

페이지쏘드는 창조적인 아이디어와 탐구적인 자세를 나타냅니다. 에이스펜타클은 새로운 가능성과 창조적인 아이디어의 시작을 나타내며, 페이지컵은 협업과 소통이 중요하다는 것을 암시합니다. 완드8은 열정과 창의력을 가지고 있는 사람들이 성공할 수 있는 가능성이 높다는 것을 의미하며, 달은 불확실한 미래와 예측할 수 없는 요소가 많음을 나타냅니다.

이를 바탕으로, 앞으로 인공지능 시대에서 유망한 아이템과 직업, 사업에는 다음과 같은 것들이 있을 수 있습니다.

인공지능과 로봇 기술 : 인공지능과 로봇 기술이 더욱 발전하면서, 자율주행차, 드론 등 새로운 산업 분야가 출현할 수 있습니다. 또한, 인공지능과 로봇 기술을 활용하여 제품을 개발하거나, 생산과정을 자동화하는 등의 사업이 성장할 것으로 예상됩니다.

빅데이터와 데이터 분석 : 인공지능과 더불어 빅데이터와 데이터 분석 기술이 더욱 발전할 것으로 예상됩니다. 이를 활용하여 마케팅, 예측분석, 투자등 다양한 분야에서 활용할 수 있으며, 데이터 분석 전문가나 컨설턴트로 일할 수 있는 직업이 유망할 것입니다.

첨단 의료 기술 : 인공지능과 빅데이터 기술을 활용한 첨단 의료 기술이 더욱 발전할 것으로 예상됩니다. 이를 활용하여 개인 맞춤형 치료법을 개발하거나, 의료정보 공유 등 다양한 분야에서 발전할 것입니다.

스마트 시티 : 인공지능과 빅데이터, 로봇 기술을 활용하여 스마트 시티를 구현하는 사업이 유망할 것으로 예상됩니다. 스마트한 도시를 만들기 위해서는 다양한 분야에서 기술이 필요하며, 이에 따라 다양한 직업이 생길 수 있습니다.

미디어 산업 : 공지능을 활용한 창의적인 제품과 서비스가 인기를 끌 것으로 예상됩니다. 예를 들어, 인공지능 기술을 활용한 스마트 가전제품, 자율주행차, 인공지능 로봇 등이 있을 것입니다. 또한, 인공지능을 이용한 건강관리, 교육, 문화 예술 등 분야에서도 발전이 예상됩니다.

118. 내여자친구의 나에 대한 속마음은 무엇일까요?
(컵5-퀸컵-펜타클6)

컵 5는 일종의 축복이며, 사랑과 관계에서 새로운 시작을 나타냅니다. 그러므로, 당신의 여자친구와의 관계에서 더욱 깊은 사랑을 발견할 수 있을 것입니다.

퀸 컵은 여성 친구를 나타내며, 당신의 여자친구는 당신에게 관심을 가지고 있으며, 당신에게 자신의 감정을 표현하고 싶어합니다. 하지만 그녀는 다소 조심스러울 수 있으므로, 내담자는 그녀를 위로하고 안심시켜주는 것이 중요합니다.

펜타클 6은 재물, 자산, 성장, 안정성, 안전성 등을 나타냅니다. 이것은 당신의 관계에서 안정성과 진전을 의미하며, 미래에 더욱 견고하고 성장하는 관계가 될 것입니다.

따라서, 당신의 여자친구는 당신에게 매우 관심이 있으며, 당신들의 관계는 안정적이며 더 발전할 가능성이 있습니다. 하지만, 항상 서로의 감정을 솔직하게 나누는 것이 중요합니다.

119. 타로가 이렇게 나왔을때 적성에 맞는 직업은 무엇일까요?
(바보-컵6-킹쏘드)

타로점을 해석하는 것은 개인적인 해석이 많이 포함될 수 있기 때문에 정확한 직업을 추천하기는 어렵습니다. 그러나 전반적인 의미를 고려해보면, 이 타로점은 일시적인 어려움을 겪을 수 있으나 그 이후에는 큰 성공을 거둘 수 있는 가능성이 있다는 것을 나타낼 수 있습니다.

따라서, 이 타로점은 도전적이고 변화무쌍한 환경에서도 견딜 수 있는 유연성과 적극성, 창의성이 필요한 직업을 추천할 수 있습니다. 이런 성향을 가진 직업으로는 예술가, 작가, 디자이너, 연예인, 스타트업 창업자 등이 있을 수 있습니다.

그러나 타로점은 개인의 경험과 상황에 따라 해석이 달라질 수 있으므로, 직업 선택에 대한 결정은 자신의 관심사, 경험, 능력 등을 고려하여 신중히 결정하는 것이 좋습니다.

120. 직장의 상사는 나를 어떻게 보고 있나요?

(전차-여사제-세계)

전차와 여사제, 세계 카드 조합은 여러 가지 가능성을 내포하고 있습니다. 전차 카드는 도전적인 상황에서 이겨내는 의지와 결단력을 상징하며, 여사제 카드는 지혜와 직감력, 차분함을 상징합니다. 세계 카드는 성취와 완성, 성공을 상징합니다.

따라서, 이 타로점은 상사가 당신을 자신감 있고 도전적인 사람으로 보는 것 같습니다. 내담자가 힘든 상황에서도 결단력을 발휘하고 도전을 두려워하지 않는 모습을 인식하고 있을 것입니다. 또한, 여사제 카드와 세계 카드의 조합은 상사가 당신의 직감력과 차분한 태도를 인정하고 있으며, 내담자가 업무를 성공적으로 마치는 능력을 인식하고 있을 가능성이 있습니다.

하지만 타로점은 해석이 다양할 수 있으므로, 이 해석은 일반적인 가이드일 뿐입니다. 실제로 상사가 당신을 어떻게 평가하고 있는지는 상황에 따라 다르기 때문에, 개인적인 대화나 피드백을 통해 상사의 생각을 더욱 명확히 알아내는 것이 좋습니다.

121. 앞으로 금전운이 좋아질까요?
(에이스 펜타클-쏘드10-킹펜타클)

에이스 펜타클은 재정적인 시작과 기회를 나타내며, 쏘드10은 안정적인 재정상황을 상징합니다. 킹펜타클은 재물과 부의 증가, 재정적인 안정성을 나타냅니다.

이 타로점은 내담자가 금전적인 운이 점점 좋아져 더 안정된 재정상황을 얻을 가능성이 높다는 것을 나타냅니다. 에이스 펜타클이 있어서 새로운 기회를 통해 재정적인 시작을 할 수 있으며, 쏘드10이 있어서 안정된 재정 상황을 유지할 수 있을 것입니다. 또한, 킹펜타클이 있어서 내담자가 더 많은 재물과 부를 얻을 가능성이 높아질 것입니다.

결과는 당신의 개인적인 상황과 노력에 따라 달라질 수 있습니다. 따라서, 재정적인 안정성을 유지하기 위해 노력하고 지출을 합리적으로 관리하며, 기회가 있을 때 적극적으로 대처하는 것이 중요합니다.

122. 제가 다니는 직장에서 인정 받을수 있을까요?
(나이트컵-교황-완드10)

'나이트컵'은 자신의 감성과 직관력을 믿고 표현하며, 다른 사람들과의 소통이 원활해진다는 것을 나타냅니다. 따라서 직장에서도 자신의 의견을 담당자나 동료들과 나누며 소통을 노력하는 것이 좋을 것입니다.

'교황'은 지혜와 영적인 지도자로서의 역할을 나타내며, 직장에서는 자신의 경험과 전문 지식을 바탕으로 다른 사람들에게 조언을 해주는 등 리더십의 역할을 할 수 있을 것입니다.

'완드10'은 자신의 역량과 능력을 인정받게 될 것이며, 성취감이 높아질 것이라는 것을 나타냅니다. 따라서 직장에서 자신의 노력과 능력을 인정받게 되어 성과를 얻을 수 있을 것입니다.

123. 선거에서 A가 이길까요?B가 이길까요?

A=펜타클4-완드7-완드8

B=킹소드-연인-완드2

타로 카드를 통해 A와 B 중 누가 선거에서 이길지에 대해 살펴보겠습니다.

A

펜타클 4 (Four of Pentacles): 이 카드는 안정과 보수적인 성향을 나타냅니다. A는 안정적인 성격을 가지고 있으며, 현재의 상황을 유지하고자 할 것입니다.

완드 7 (Seven of Wands): 이 카드는 도전과 경쟁을 상징합니다. A는 이 선거에서 승리하기 위해 경쟁하고 노력할 것입니다.

완드 8 (Eight of Wands): 이 카드는 빠른 진전과 전개를 나타냅니다. A의 캠페인이 빠르게 진전되고 있으며, 선거에 대한 열정과 활동성이 높을 것입니다.

B

킹 소드 (King of Swords): 이 카드는 지적인 통찰력과 논리를 상징합니다. B는 뛰어난 지적 능력을 가지고 있으며, 냉철한 판단력으로 캠페인을 이끌 것입니다.
연인 (The Lovers): 이 카드는 선택과 결정을 상징합니다. B는 선거에서 선택받을 가능성이 있으며, 지지자들과의 긍정적인 관계를 형성할 것입니다.
완드 2 (Two of Wands): 이 카드는 계획과 발전을 상징합니다. B는 미래를 위한 구체적인 계획을 세우고, 선거 캠페인을 효과적으로 진행할 것입니다.

상담팁

A는 안정적이고 노력하는 성격을 가지고 있지만, B는 뛰어난 지적 능력과 지지자들과의 긍정적인 관계를 바탕으로 선거에서 유리한 위치에 있습니다. 따라서 B가 이번 선거에서 이길 가능성이 높아 보입니다.

124. 다단계에 빠진 가족이 빠져나올수 있을까요?

펜타클4-죽음-컵2-달

펜타클 4 (Four of Pentacles): 이 카드는 안정과 보수적인 태도를 나타냅니다. 가족이 다단계에 빠져있는 상황에서는 안정과 보수적인 요소가 있을 수 있습니다. 이는 가족이 현재의 상황을 유지하려는 욕구를 보여줄 수 있습니다.

죽음 (Death): 이 카드는 변화와 새로운 시작을 상징합니다. 가족이 다단계에 빠져있는 상황에서는 현재의 상황을 변화시키고, 새로운 시작을 할 필요성을 나타냅니다. 이는 다단계에 대한 의존이나 연결을 끊고, 새로운 길을 찾아가야 함을 시사할 수 있습니다.

컵 2 (Two of Cups): 이 카드는 관계와 조화를 상징합니다. 가족이 다단계에 빠져있는 상황에서는 서로 간의 관계와 연결을 재조정하고, 조화를 찾아가는 과정이 필요할 것입니다. 이는 가족들이 서로에게 서포트를 제공하고 함께 문제를 해결하기 위해 협력할 필요가 있음을 나타냅니다.

달 (The Moon): 이 카드는 혼란과 감정적인 불안을 상징합니다. 가족이 다단계에 빠져있는 상황에서는 혼란과 불안이 있을 수 있습니다. 이는 실제로 일어나는 것과 보이는 것 사이의 차이를 이해하고, 현실을 직시하여 문제를 해결해야 함을 시사합니다.

상담팁

다단계에 빠진 가족이 빠져나올 수 있는 가능성이 있지만, 이를 위해서는 변화와 새로운 시작, 서로 간의 관계 조정과 협력, 그리고 현실을 직시하는 과정이 필요할 것입니다. 가족들이 함께 노력하고 서로에게 지지를 제공하며, 현재의 상황을 극복하여 새로운 길을 찾아가야 할 것입니다.

125. 우리가게에 근무하는 직원의 성격은 어떨까요?
(컵9-컵2-타워-세계)

컵 9 (Nine of Cups): 이 카드는 만족과 충족을 상징합니다. 가게에 근무하는 직원은 대체로 만족스러운 성격을 갖고 있을 것으로 보입니다. 이들은 자신의 업무를 만족스럽게 수행하며, 자신의 노력에 대해 자부심을 가질 것입니다.

컵 2 (Two of Cups): 이 카드는 협력과 조화를 상징합니다. 가게에 근무하는 직원은 팀원들과의 관계를 중요하게 여기며, 협력과 조화를 이루며 일할 것입니다. 이들은 팀원들과의 원활한 커뮤니케이션을 통해 업무를 진행할 것입니다.

타워 (The Tower): 이 카드는 변화와 파괴를 나타냅니다. 일부 직원들은 예기치 않은 변화에 대해 불안해할 수 있습니다. 그러나 이는 새로운 가능성과 기회를 의미하기도 합니다. 따라서 가게에 근무하는 직원들은 변화에 대한 적응력을 가지고 있을 것입니다.

세계 (The World): 이 카드는 완성과 성취를 상징합니다. 가게에 근무하는 직원들은 일을 완수하고 목표를 달성하기 위해 노력하는 성격을 갖고 있을 것입니다. 이들은 업무에 대한 자신감과 열정을 가지고 있으며, 최상의 결과를 이루기 위해 노력할 것입니다.

상담팁

가게에 근무하는 직원들은 대체로 만족스럽고 협력적인 성격을 갖고 있을 것으로 보입니다. 그러나 예기치 않은 변화에 대한 대처능력과 적응력을 갖고 있을 것입니다. 이들은 목표를 달성하기 위해 노력하며, 팀원들과의 조화로운 협업을 통해 가게의 성공을 위해 노력할 것입니다.

126. 저의 앞으로의 건강은 어떨까요?

(소드4-에이스소드-완드7-컵5)

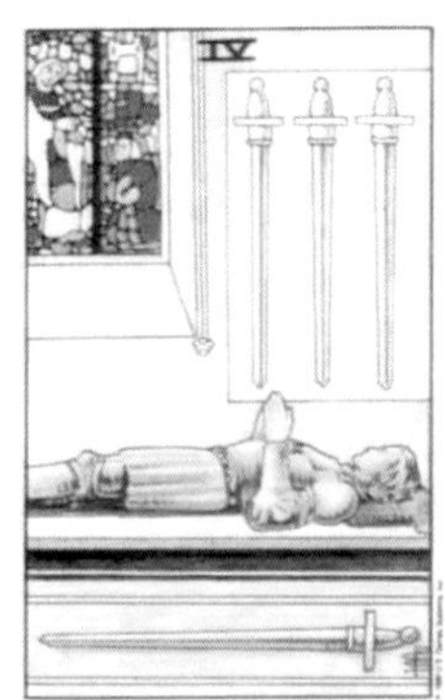

소드 4 (Four of Swords): 이 카드는 휴식과 회복을 상징합니다. 앞으로의 건강에 대해 이 카드는 적절한 휴식과 회복이 필요하다는 것을 나타냅니다. 몸과 마음을 쉬게 하고 피로를 푸는 것이 중요할 것입니다.

에이스 소드 (Ace of Swords): 이 카드는 정신적인 명료성과 결단력을 상징합니다. 앞으로의 건강에 대해 이 카드는 명확한 목표와 계획을 세우고, 건강에 대한 새로운 접근 방식이나 해결책을 찾는 것이 중요함을 나타냅니다.

완드 7 (Seven of Wands): 이 카드는 도전과 경쟁을 상징합니다. 앞으로의 건강에 대해 이 카드는 어려움에 대처하고, 건강을 유지하기 위해 노력해야 할 것임을 시사합니다. 그러나 이러한 도전에도 불구하고 힘을 내어 이겨낼 수 있을 것입니다.

컵 5 (Five of Cups): 이 카드는 실망과 손실을 상징합니다. 앞으로의 건강에 대해 이 카드는 어떤 실망이나 걱정이 있을 수 있음을 나타냅니다. 그러나 이 카드는 주의를 기울여야 할 것에 집중하고, 과거의 실수나 실패에 과도하게 집착하지 말아야 한다는 것을 상기시킵니다.

상담팁

앞으로의 건강은 휴식과 회복이 필요하며, 명확한 목표와 계획을 세우고 도전에 대처하는 것이 중요할 것입니다. 실망이나 어려움이 있을 수 있지만, 이를 극복하고 긍정적으로 나아갈 수 있는 자세를 유지하는 것이 중요합니다. 특히 건강을 유지하기 위해 신체와 마음에 균형을 유지하는 것이 중요할 것입니다.

127. 공사 계약건을 딸수 있을까요?

(컵2-별-펜타클4)

컵 2 (Two of Cups): 이 카드는 협력과 조화를 상징합니다. 공사 계약을 따기 위해서는 협력과 조화가 필요합니다. 이 카드는 협력적인 태도와 협상을 통해 원활한 관계를 구축할 수 있다는 것을 나타냅니다.

별 (The Star): 이 카드는 희망과 기대를 상징합니다. 공사 계약을 딸 수 있는 가능성이 있으며, 별은 희망적인 전망과 긍정적인 결과를 시사합니다. 당신의 노력과 투자가 성과를 거두기를 기대할 수 있습니다.

펜타클 4 (Four of Pentacles): 이 카드는 안정과 보수적인 태도를 나타냅니다. 공사 계약을 따기 위해서는 안정적인 자금과 자원이 필요할 수 있습니다. 이 카드는 재정적인 안정과 자원의 효율적인 활용이 중요함을 시사합니다.

상담팁

협력적인 태도와 협상을 통해 공사 계약을 따는 가능성이 있으며, 희망적인 전망과 안정적인 자금을 바탕으로 성공할 수 있을 것입니다. 당신의 노력과 투자에 대한 긍정적인 결과를 기대할 수 있으며, 계획을 세우고 신중하게 움직이면 좋은 결과를 얻을 수 있을 것입니다.

128. A가 당선될까요? B가 당선될까요?

a=소드6-컵9-퀸펜타클

b=연인-완드7-에이스컵

A

소드 6 (Six of Swords): 이 카드는 어려운 시기를 벗어나는 것을 상징합니다. A는 현재의 어려움을 극복하고 새로운 시작을 할 준비가 되어 있는 것으로 보입니다.

컵 9 (Nine of Cups): 이 카드는 만족과 충족을 상징합니다. A는 자신의 목표를 달성하여 만족스러운 결과를 이룰 수 있을 것입니다.

퀸 펜타클 (Queen of Pentacles): 이 카드는 실용적이고 안정된 성격을 상징합니다. A는 실력과 안정성을 바탕으로 당선될 가능성이 있습니다.

B

연인 (The Lovers): 이 카드는 선택과 결정을 상징합니다. B는 선택받을 가능성이 있으며, 투표자들과의 긍정적인 관계를 형성할 수 있을 것입니다.

완드 7 (Seven of Wands): 이 카드는 도전과 경쟁을 상징합니다. B는 경쟁에 대처하고 노력하여 자신의 목표를 달성할 것입니다.

에이스 컵 (Ace of Cups): 이 카드는 새로운 감정적인 시작을 상징합니다. B는 투표자들에게 강력한 감정적 호소력을 가지고 있을 것이며, 이는 당선될 가능성을 높일 수 있습니다.

이 카드들을 종합해 보면, A는 어려움을 극복하고 안정된 성격을 바탕으로 만족스러운 결과를 이룰 가능성이 있습니다. 한편 B는 선택과 결정에 강한 영향력을 가지고 있으며, 경쟁에서도 노력하여 자신의 목표를 이룰 가능성이 있습니다. 그러나 결정적인 결과는 투표자들의 선택에 달려 있으며, 이를 예측하기는 어려울 수 있습니다.

129. 회사에서 동료들간의 분쟁이 잘 해결될수 있을까요?
(운명의 수레바퀴- 죽음-펜타클7-별)

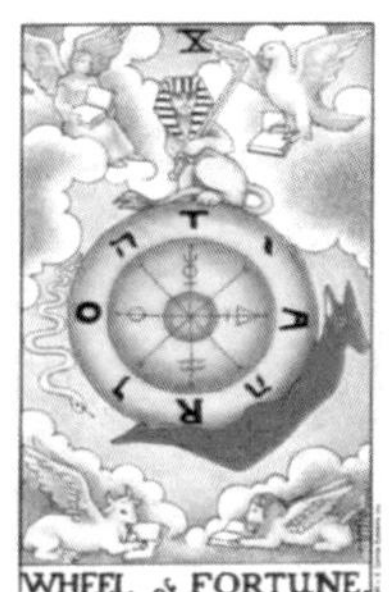

운명의 수레바퀴 (The Wheel of Fortune): 이 카드는 운명적인 변화와 순환을 상징합니다. 동료들 간의 분쟁이 해결될 가능성이 있으며, 상황이 변화하여 긍정적인 방향으로 나아갈 수 있음을 시사합니다.

죽음 (Death): 이 카드는 변화와 새로운 시작을 상징합니다. 동료들 간의 분쟁이 해결되면, 이는 새로운 시작과 변화의 시작으로 이어질 수 있음을 의미합니다. 이는 문제의 근본적인 해결과 새로운 상황의 탄생을 나타냅니다.

펜타클 7 (Seven of Pentacles): 이 카드는 결과를 기다리는 시기와 인내를 상징합니다. 분쟁의 해결에는 시간과 인내가 필요할 것입니다. 동료들은 문제를 심사숙고하고 결과를 기다리는 과정을 거쳐야 할 것입니다.

별 (The Star): 이 카드는 희망과 기대를 상징합니다. 분쟁의 해결에 대해 이 카드는 희망적인 전망을 제시합니다. 동료들은 서로에게서 긍정적인 에너지를 받고, 해결책을 찾아 나갈 것입니다.

상담팁

회사에서 동료들 간의 분쟁이 잘 해결될 수 있는 가능성이 있습니다. 변화와 새로운 시작을 통해 문제의 근본적인 해결이 이뤄질 것이며, 인내와 희망을 통해 긍정적인 결과를 얻을 수 있을 것입니다. 하지만 이를 위해서는 시간과 노력이 필요할 것이며, 서로의 관점을 이해하고 협력하여 문제를 해결해 나가야 할 것입니다.

130. 이민을 가려고 합니다. 이민가서 잘 적응하고 잘 살수 있을까요?

(퀸펜타클-소드7-컵9-운명의수레바퀴)

퀸 펜타클 (Queen of Pentacles): 이 카드는 안정과 현실성을 상징합니다. 이민 후에도 안정적으로 적응하고 현지의 환경에 잘 적응할 수 있는 능력을 나타냅니다. 퀸 펜타클은 현실적이고 실용적인 접근을 통해 새로운 환경에서 잘 살아낼 수 있는 잠재력을 보여줍니다.

소드 7 (Seven of Swords): 이 카드는 불안과 불신을 상징합니다. 이민 후에는 처음에 불안함과 불신감이 발생할 수 있지만, 이를 극복하고 실용적인 대응책을 마련해야 할 것입니다. 이민은 새로운 환경에서의 도전과 조정이 필요한 과정이기도 합니다.

컵 9 (Nine of Cups): 이 카드는 만족과 충족을 상징합니다. 이민 후에도 자신의 목표를 이루고 만족스러운 삶을 살 수 있는 가능성이 있습니다. 새로운 환경에서의 삶을 즐기고 긍정적인 경험을 만들어 나갈 수 있을 것입니다.

운명의 수레바퀴 (The Wheel of Fortune): 이 카드는 운명적인 변화와 순환을 나타냅니다. 이민 후에는 운명의 수레바퀴가 회전하면서 새로운 기회와 도전이 찾아올 것입니다. 이를 통해 새로운 환경에 잘 적응하고 새로운 가능성을 탐색할 수 있을 것입니다.

상담팁

이민 후에도 안정적으로 적응하고 만족스러운 삶을 살 수 있는 가능성이 있습니다. 처음에는 불안함과 도전이 있을 수 있지만, 실용적인 접근과 긍정적인 마음가짐을 가지고 새로운 환경에 대처할 수 있을 것입니다. 이민은 새로운 기회와 경험을 통해 더욱 성장하고 발전할 수 있는 기회를 제공할 것입니다.

131. 제가 상담일에 관심이 많이 있는데요, 상담사가 적성에 잘 맞을까요?
(소드6-힘-바보-에이스소드)

소드 6 (Six of Swords): 이 카드는 어려움을 벗어나 새로운 시작을 나타냅니다. 상담사로서의 적성에 있어서 이 카드는 고객들이 가지고 있는 문제나 어려움을 해결하고 새로운 시각과 해결책을 제공할 수 있는 능력을 나타냅니다.

힘 (Strength): 이 카드는 인내와 용기를 상징합니다. 상담사는 고객들의 어려움에 대해 인내심을 가지고 듣고 이해하며, 그들을 위로하고 도와줄 용기와 힘을 가져야 합니다.

바보 (The Fool): 이 카드는 새로운 시작과 모험을 상징합니다. 상담사로서의 적성에 있어서 이 카드는 새로운 아이디어를 받아들이고 고객들에게 새로운 관점과 해결책을 제시할 준비가 되어 있다는 것을 의미합니다.

에이스 소드 (Ace of Swords): 이 카드는 진리와 깨달음을 상징합니다. 상담사로서의 적성에 있어서 이 카드는 진실을 찾아내고 문제의 본질을 이해하며, 고객들에게 명확하고 직접적인 해결책을 제공할 수 있는 능력을 나타냅니다.

상담팁

이 카드들을 종합해 보면, 상담사로서의 적성에는 어려움을 이겨내고 새로운 시작을 함으로써 고객들을 도와주는 인내와 용기, 열린 마음과 새로운 아이디어를 수용할 준비, 그리고 문제 해결에 필요한 진실을 찾아내고 명확한 해결책을 제공할 수 있는 능력이 필요합니다. 이러한 특성들이 있으면 상담사로서의 역할을 잘 수행할 수 있을 것으로 기대됩니다.

132. 이웃과의 분쟁이 잘 해결 될까요?

(완드5-에이스펜타클-완드9-펜타클6)

완드 5 카드는 갈등과 혼란을 나타내며, 현재 세계는 많은 문제와 갈등이 있습니다. 에이스 펜타클 카드는 새로운 시작과 가능성을 나타내며, 이는 현재 상황에서도 긍정적인 가능성이 존재한다는 것을 의미합니다.

하지만 완드 9와 펜타클 6 카드는 대립과 갈등을 보여주므로, 현재의 상황이 어떤 행동으로 이어질지에 대한 주의가 필요합니다. 이러한 카드는 자신이 강한 측면과 약한 측면을 파악하고, 상황에 맞는 전략을 수립하는 것이 중요함을 나타냅니다.

현재는 긴장감이 높은 상황에서는 갈등이 발생할 가능성이 크다는 것을 암시하고 있습니다. 따라서, 우리는 상황을 지속적으로 지켜보면서 합리적이고 대화 중심의 방향으로 나아가는 것이 중요하다는 것을 염두에 두어야 합니다.

133. 저의 남자친구의 성격이 모호해서 잘 모르겠습니다.
남자친구의 성격은 어떤가요?
(절제-태양-여사제)

남자친구의 성격을 나타내는 타로 카드로 절제, 태양, 여사제 카드가 나왔습니다.
절제 카드는 차분하고 균형감 있는 성격을 나타내며, 논리적이고 분석적이며, 감정적인 면을 잘 조절할 수 있는 사람입니다. 이는 당신의 남자친구가 감정적인 변화에 빠르게 빠지지 않는다는 것을 의미할 수 있습니다.

태양 카드는 자신감과 확신, 영감, 열정을 상징합니다. 이는 당신의 남자친구가 자신의 능력과 장점에 대해 자신감을 가지고 있으며, 주변의 사람들과 긍정적인 관계를 형성하려는 경향이 있다는 것을 나타낼 수 있습니다.

여사제 카드는 내면의 진실과 지혜, 깊이 있는 통찰력을 나타내며,

직관력과 미래에 대한 예지력이 뛰어납니다. 이는 당신의 남자친구가 상황을 판단할 때 직관과 분석을 조화롭게 활용하며, 타인과의 대화에서도 적극적으로 상대방의 이야기를 듣고 공감하는 능력이 있다는 것을 나타낼 수 있습니다.

상담팁

당신의 남자친구는 차분하고 균형감 있으며, 자신감과 확신이 있으며, 직관력과 분석력을 조화롭게 활용하는 성격일 가능성이 높습니다. 이는 당신과의 관계에서도 상호적인 소통과 이해를 바탕으로 지속적인 발전을 추구할 것이라고 예상할 수 있습니다.

134. 저의 여자친구의 성격은 어떻습니까?

(세계-쏘드7-행맨)

여자친구의 성격을 나타내는 타로 카드로 세계, 쏘드7, 행맨 카드가 나왔습니다.

세계 카드는 성취와 완성, 만족과 보람을 상징합니다. 이는 당신의 여자친구가 꿈과 목표를 이루기 위해 노력하고, 자신의 능력과 잠재력을 발휘하여 성취감을 느끼며 삶을 즐기는 성격을 갖고 있을 가능성이 높습니다.

쏘드7 카드는 분석적인 사고와 논리적인 판단, 지적인 능력을 나타내며, 불확실한 상황에서도 냉철하게 판단할 수 있는 능력이 있습니다. 이는 당신의 여자친구가 상황에 대해 이성적으로 접근하고, 문제를 해결하는 데 뛰어난 능력을 갖고 있다는 것을 나타낼 수 있습니다.

행맨 카드는 희생과 견고함, 극복과 변화의 가능성을 나타내며, 상황이 어렵거나 변화가 필요한 상황에서도 힘을 내고 이겨낼 수 있는 능력이 있습니다.
이는 당신의 여자친구가 어려운 상황에서도 강인하고 굳건한 마음을 갖고, 문제를 극복하려는 노력을 기울일 수 있다는 것을 의미할 수 있습니다.

상담팁

당신의 여자친구는 목표 달성에 노력하며 성취감을 느끼는 성격이고, 이성적인 사고와 지적인 능력, 뛰어난 문제해결 능력을 갖추고, 어려움에도 불구하고 견고한 마음을 갖고 극복하려는 노력을 기울일 수 있는 성격일 가능성이 높습니다.

135. 우리회사 상사인 부장님의 성격은 어떤가요?
(세계-쏘드5-킹펜타클)

부장님의 성격을 나타내는 타로 카드로 세계, 쏘드5, 킹펜타클 카드가 나왔습니다.

세계 카드는 성취와 완성, 만족과 보람을 상징합니다. 이는 당신의 부장님이 목표를 이루기 위해 노력하고, 자신의 능력과 잠재력을 발휘하여 성취감을 느끼며 일을 하고 있는 성격을 갖고 있을 가능성이 높습니다.

쏘드5 카드는 갈등과 문제, 난제를 나타내며, 이 카드가 나온다면 당신의 부장님이 문제 해결에 뛰어난 능력을 갖고 있으며, 상황을 분석하고 이해하는 것에 능숙하다는 것을 나타낼 수 있습니다.

킹펜타클 카드는 실용적이고 현실적인 접근을 나타내며, 안정적이고 집중력이 강하다는 것을 나타냅니다. 이는 당신의 부장님이 현실적인 문제에 대처하는 데 뛰어난 능력을 갖고 있으며, 일에 대한 책임감과 집중력이 높다는 것을 의미할 수 있습니다.

상담팁

당신의 부장님은 목표 달성을 위해 노력하고, 문제 해결에 뛰어난 능력을 가진 현실적인 성격일 가능성이 높습니다. 또한, 일에 대한 책임감과 집중력이 높아 안정적인 분위기를 유지하고 일을 성실히 수행할 가능성도 있습니다.

136. 같이 근무하는 동료의 성격은 어떻습니까?
(별-연인-킹쏘드)

같이 근무하는 동료의 성격을 나타내는 타로 카드로 별, 연인, 킹쏘드 카드가 나왔습니다.
별 카드는 미래에 대한 희망과 꿈을 상징하며, 이는 당신의 가르치는 동료가 높은 목표와 꿈을 가지고 있는 성격을 갖고 있다는 것을 나타낼 수 있습니다.

연인 카드는 유대와 연결, 선택과 결정을 나타내며, 같이 근무하는 동료가 사람들과의 유대를 중요시하며, 결정과 선택을 내리는 것에 능숙하다는 것을 나타낼 수 있습니다.

킹쏘드 카드는 지성과 분석, 명확한 사고력을 나타내며, 이는 동료가 높은 지적 수준을 갖고 있으며, 분석과 판단 능력이 뛰어나다는 것을 의미할 수 있습니다.

상담팁

동료는 높은 목표와 꿈을 가진 성격으로, 사람들과의 유대를 중요시하고 결정과 선택을 내리는 것에 능숙한 성격일 가능성이 높습니다. 또한, 높은 지적 수준과 분석, 판단 능력을 갖고 있다는 것을 나타내어, 가르치는 과정에서 학생들의 이해도를 높이는 데 뛰어난 능력을 가진 성격일 가능성도 있습니다.

137. 현재 가르치고 있는 제자가 중도포기하거나 때려치거나 하지않고 한결같이 잘 해 나갈수 있을까요?
(쏘드7-펜타클2-컵3)

쏘드 7 카드는 의심이나 불안감을 나타내며, 가르치는 과정에서 제자가 선생님의 지시나 조언에 대해 조금 더 깊이 생각하거나 의문을 가지고 있을 수 있다는 것을 시사합니다.

펜타클 2 카드는 노력과 꾸준함, 인내심을 상징하며, 가르치는 과정에서 제자가 성취하고자 하는 목표에 대한 노력과 인내심을 가지고 있다는 것을 나타냅니다.

컵 3 카드는 감정적인 안정과 만족감을 상징하며, 가르치는 과정에서 제자가 선생님의 지도와 조언을 받아들이며 성장하고 성취를 이루면서, 그에 따른 성취감과 만족감을 느낄 수 있다는 것을 시사합니다.

상담팁

가르치는 제자가 선생님의 말에 복종하고 잘 해나갈지는 불확실하지만, 노력과 인내심을 가지고 성장하며 그에 따른 만족감을 느끼는 성격일 가능성이 있습니다. 하지만 의심이나 불안감이 있을 수 있으므로, 선생님은 이러한 부분에 대해서도 주의하며, 제자와 소통하고 대화하는 것이 중요할 것입니다.

138. 친척이 보험을 자꾸 들으라고 하는데 보험을 넣으면 앞으로 효과나 보장이나 이익을 낼수 있을까요?
(컵3-완드2-페이지펜타클)

컵 3 카드는 감정적인 안정과 만족감을 상징하며, 보험을 들어놓은 것이나 타로상담을 받은 것으로 인해 현재는 안정적인 상태를 유지하고 있다는 것을 나타냅니다.

완드 2 카드는 협력과 조화, 상호작용을 상징하며, 보험 회사나 타로상담자와의 협력과 상호작용이 중요하다는 것을 시사합니다.

페이지 펜타클 카드는 새로운 출발과 성장을 상징하며, 보험을 들어놓은 것이나 타로상담을 통해 새로운 아이디어나 방향성을 얻어 더 나은 결과를 얻을 수 있는 가능성이 있다는 것을 나타냅니다.

139. 올해 좋은 여자친구가 생길까요?

(쏘드7-완드4-완드2)

올해 좋은 여자친구가 생길 가능성이 있다는 것을 시사합니다.
쏘드 7 카드는 지적인 발전과 진실된 선택을 상징합니다. 여러분이 지금까지의 경험과 지혜를 바탕으로 올해에는 더 나은 선택을 할 수 있으며, 좋은 결과를 얻을 수 있습니다.

완드 4 카드는 대화와 소통, 사람들과의 관계를 상징하며, 이 카드는 새로운 사람들과 새로운 인연을 만들 수 있는 가능성이 있다는 것을 시사합니다.

완드 2 카드는 협력과 조화, 상호작용을 상징하며, 이 카드는 새로운 인연을 만들 때 상호작용과 협력이 중요하다는 것을 나타냅니다.

인연은 언제나 예측하기 어렵기 때문에, 여러분이 노력하고 자신감을 가지고 주변을 적극적으로 탐색하며 좋은 인연을 만들어가는 것이 중요합니다.

140. 자서전을 쓰고 싶은데 자서전을 완성하여 출판할수 있을까요?
(킹펜타클-죽음-킹컵)

자서전을 출판하는 것은 매우 어려운 일이며, 출판사의 검토 및 승인 과정을 거쳐야 합니다. 또한 출판사에서는 독자들이 구매하고 읽을 만한 가치 있는 콘텐츠인지 평가하게 됩니다. 따라서, 자서전 출판을 위해서는 충분한 노력과 시간, 그리고 운도 필요합니다.

그러나, 자서전을 출판하길 원한다면, 지금부터 준비를 시작하고 필요한 과정을 따라가며 노력해보는 것이 좋을 것입니다. 출판사에게 자신의 이야기를 전하고, 자서전 출판에 대한 가능성을 논의할 수 있는 에이전트나 출판 컨설턴트와 함께 일할 수도 있습니다. 최종 결정은 출판사와 시장에서 나타나는 반응에 달려있겠지만, 준비를 통해 가능성을 높일 수 있습니다.

141. 아내가 젖먹이 아이들을 두고 집을 나가버렸습니다. 벌써 수개월째인데 돌아올까요?
(완드4-펜타클8-에이스완드)

완드4 카드는 새로운 시작과 가능성을 나타내며, 이 경우에는 여러분이 새로운 생활 방식이나 새로운 가정 상황을 만들어낼 수 있는 가능성이 있다는 것을 시사합니다.

펜타클8 카드는 힘든 상황에서 인내심과 꾸준한 노력으로 문제를 해결해 나가는 것을 상징합니다. 이 카드는 여러분이 아이들을 돌보는 것과 같이 책임 있는 역할을 지니면서, 차분하고 꾸준한 노력으로 상황을 개선해 나갈 수 있음을 나타냅니다.

에이스완드 카드는 새로운 가능성과 창의성을 나타냅니다. 이 카드는 여러분이 새로운 아이디어나 해결 방법을 찾아내며, 그에 따른 새로운 가능성을 찾아내는 데에 성공할 수 있다는 것을 나타냅니다.

상담팁

카드들이 가리키는 것이 반드시 현실적으로 일어날 가능성이 있는 것은 아닙니다. 따라서, 아내가 돌아오는 것에 대해서는 확신이 없을 수 있지만, 여러분이 자신의 삶을 새롭게 시작하고 책임 있는 역할을 잘 해나가면서, 새로운 가능성을 찾아나갈 수 있다는 것을 타로 카드는 시사합니다.

142. 가족간 가정불화가 심한데 앞으로 좋아질수 있을까요?
(퀸쏘드-컵2-펜타클7)

점에서 나온 카드들은 가족 간의 갈등이 심각하게 남아 있는 것으로 보이지만, 미래에는 개선될 가능성이 있습니다.
첫 번째 카드인 '퀸쏘드'는 정적이며, 상황이 굳어져 있는 것을 나타냅니다. 그러나 두 번째 카드인 '컵2'는 갈등의 원인이 감정적인 부분에서 비롯됨을 나타냅니다. 이는 갈등이 해소될 가능성이 있다는 것을 의미합니다.
세 번째 카드인 '펜타클7'은 노력과 인내를 통해 문제를 해결할 수 있다는 것을 나타냅니다. 따라서 이 점을 고려해 가족들과 대화를 시도하고, 서로의 의견을 존중하면서 문제를 해결하려는 노력을 기울인다면, 가정불화가 해소될 가능성이 있습니다.

143. 강아지가 집을 잠깐 비운사이 집을 나가버렸습니다.
강아지를 찾을수 있을까요?
(펜타클10-쏘드6-킹완드)

점을 보면, 강아지가 집을 떠난 것은 우연한 일이 아니며, 이는 주인의 주의를 끌기 위해 그런 일을 벌인 것 같습니다.

펜타클 10은 일시적인 어려움을 의미하며, 이 경우에는 강아지가 잃어버린 것으로 이해할 수 있습니다. 그러나 이 카드는 또한 문제 해결을 위한 힘과 노력을 나타냅니다.

쏘드 6은 강아지가 어디에 있는지 알아내는 데 어려움을 겪을 수 있음을 나타냅니다. 이 카드는 종종 애매모호하거나 모호한 상황을 나타내므로, 강아지의 위치를 찾는 데 어려움이 있을 수 있습니다.

마지막으로, 킹완드는 성취와 지도력을 나타냅니다. 이 카드는 주인이 강아지를 찾을 때 결단력과 지도력이 필요하다는 것을 알려줍니다. 논리적으로 생각하고 집중력을 유지하면 강아지를 찾을 수 있습니다.

상담팁

강아지를 찾을 수 있는 방법을 찾아보고, 가능한 한 빨리 조치를 취해야 합니다. 강아지는 집으로 돌아오거나 누군가가 발견하고 보호할 수도 있습니다. 주인의 노력과 결단력이 강아지를 찾는 데 큰 도움이 될 것입니다.

144. 돌싱인데 다시 전처와 재결합이 가능할까요?
(킹쏘드-완드킹-완드8-에이스컵)

킹 오브 소드(King of Swords): 킹 오브 소드는 지적이고 결단력이 있는 인물을 나타냅니다. 이 카드는 현명하고 분석적인 태도를 상징합니다. 이 카드가 나오면 현실적인 사고와 객관적인 판단이 필요하다는 것을 암시합니다.

완드 킹(King of Wands): 완드 킹은 열정적이고 창의적인 리더를 나타냅니다. 이 카드는 역동적이고 적극적인 태도를 상징하며, 주도적인 역할을 맡는 것을 잘 수행하는 사람을 나타냅니다.

완드 8(Eight of Wands): 완드 8은 빠른 진전과 행동력을 나타냅니다. 이 카드는 새로운 계획이나 목표를 향해 빠르게 나아가는 상황을 상징합니다. 이는 긍정적인 변화와 새로운 가능성을 시사합니다.

에이스 오브 컵(Ace of Cups): 에이스 오브 컵은 새로운 감정적인 시작과 사랑의 초석을 나타냅니다. 이 카드는 감정적인 만족과 심금의 평온을 상징하며, 새로운 사랑의 가능성을 시사합니다.

상담팁

돌아온 싱글이 다시 재결합할 가능성이 있음을 시사합니다. 강한 의지와 결단력, 열정적인 태도가 새로운 시작을 이끌어낼 수 있습니다. 그러나 재결합이 성공적으로 이루어지려면 상대와의 소통과 현실적인 가능성을 고려해야 합니다. 상황이 어떻게 전개될지는 개인의 선택과 행동에 따라 다를 것입니다.

145. 올해 결혼운은 어떻게 될까요?

(절제-완드4-소드6)

절제 (Temperance): 절제 카드는 균형과 조화를 상징합니다. 이 카드는 인내심과 자제력, 그리고 조절된 감정을 나타냅니다. 결혼 생활에서 이 카드는 서로를 이해하고 조화롭게 지내는 데 중요한 역할을 할 수 있음을 시사합니다. 또한 올바른 타이밍과 긍정적인 에너지를 기다리는 것이 중요하다는 메시지를 전달할 수 있습니다.

완드 4 (Four of Wands): 완드 4는 안정과 기쁨을 상징합니다. 결혼식이나 가정의 안정성을 나타내며, 성공적인 시작과 축복을 의미합니다. 이 카드는 결혼 생활에서 안정감과 고요함이 주어질 것임을 시사합니다.

소드 6 (Six of Swords): 소드 6은 어려운 시기를 뒤로하고 나아가는 것을 나타냅니다. 이 카드는 과거의 문제나 갈등을 극복하고 새로운 시작을 향해 진행하고 있음을 나타냅니다. 결혼생활에서 이 카드는 어려움을 극복하고 긍정적인 방향으로 전진하는 것을 상징합니다.

상담팁

올해 결혼운은 어려움을 극복하고 조화롭고 안정된 관계를 구축하는 데 초점이 있을 것으로 보입니다. 서로를 이해하고 타협하는 데 중요성을 두며, 과거의 어려움을 뒤로하고 새로운 시작을 향해 나아갈 것입니다. 당신과 파트너 간의 소통과 협력이 결혼 생활을 향상시키는 데 중요할 것입니다.

146. 연로하고 많이 아프신 아버지가 오래 살수 있을까요?
(컵5-소드3-킹소드)

컵 5 (Five of Cups): 컵 5는 슬픔과 손실을 나타냅니다. 이 카드는 어떤 실망이나 애증이 현재의 상황을 지배하고 있음을 나타내며, 과거의 아픔에 대한 집착을 상징합니다. 그러나 이 카드는 또한 새로운 희망과 복원의 기회를 가리키기도 합니다.

소드 3 (Three of Swords): 소드 3은 심리적인 고통과 상실을 나타냅니다. 이 카드는 심장을 찌르는 비유적인 상처와 슬픔을 상징합니다. 현재 아버지가 건강 문제로 고통 받고 계실 수 있다는 것을 시사할 수 있습니다.

킹 소드 (King of Swords): 킹 소드는 지적이고 분석적인 지도자를 나타냅니다. 이 카드는 결단력과 강력한 의지를 상징하며, 문제를 해결하고 도전에 직면할 준비가 되어 있는 것을 나타냅니다.

상담팁

아버지가 현재 어려운 시기를 겪고 있으며, 심리적인 고통과 실망에 직면하고 계실 수 있음을 시사합니다. 그러나 지적인 힘과 결단력을 발휘하여 이 어려움을 극복할 수 있을 것으로 보입니다. 또한 새로운 희망과 기회를 찾는 데 도움이 될 것입니다.

아버지의 건강과 장수는 많은 요인에 영향을 받으며, 카드는 예측을 제공할 뿐이며 절대적인 답을 제공할 수는 없습니다. 그러나 어떤 어려움이 있더라도, 아버지의 의지와 힘, 그리고 가족과의 지지가 함께 있다면 더 나은 상황을 이끌어낼 수 있을 것입니다. 아버지와 함께하는 모든 순간을 소중히 여기고, 가능한 한 그를 돌보는 데 최선을 다해주세요.

147. 주식투자에서 이득을 볼수 있을까요?
(소드5-킹소드-완드3-펜타클6)

소드 5 (Five of Swords): 소드 5는 경쟁이 치열하고 갈등이 있는 상황을 나타냅니다. 이 카드는 종종 손실이나 패배를 시사하지만, 동시에 자신을 보호하고 지혜롭게 행동할 필요가 있다는 메시지를 전달합니다. 주식 시장은 경쟁과 변동성이 높은 환경이므로, 신중한 접근이 필요합니다.

킹 소드 (King of Swords): 킹 소드는 지적이고 분석적인 지도자를 상징합니다. 이 카드는 결단력과 지식, 명확한 판단력을 강조합니다. 주식 시장에서 투자 결정을 내릴 때 객관적이고 분석적인 태도가 중요함을 시사합니다.

완드 3 (Three of Wands): 완드 3은 성장과 발전을 나타냅니다. 이 카드는 새로운 기회를 발견하고 확장하기 위해 준비되어 있다는 것을 나타내며, 투자의 성공적인 결과를 시사할 수 있습니다.

펜타클 6 (Six of Pentacles): 펜타클 6은 관대함과 분배를 나타냅니다. 이 카드는 자신의 자원을 나누고 다른 이들에게 도움을 주는 것을 상징합니다. 주식 투자에서 이 카드는 지혜롭고 균형잡힌 투자를 통해 성공을 이룰 수 있다는 메시지를 전달할 수 있습니다.

상담팁

주식 투자에서 성공을 이룰 수 있는 가능성이 있지만, 경쟁과 갈등이 존재하고 있으며 신중한 판단과 분석이 필요합니다. 새로운 기회를 발견하고 성장을 추구하는 태도가 투자의 성공에 도움이 될 것입니다. 또한 관대함과 분배의 원칙을 준수하여 자원을 효율적으로 활용하는 것이 중요합니다. 하지만 주식 시장은 변동성이 높기 때문에 투자 결정을 내리기 전에 가능한 한 많은 정보를 수집하고 신중하게 고려하는 것이 바람직합니다.

148. 해외투자 코인 투자 사업에서 이윤이 생길까요?
(완드4-완드3-컵10)

완드 4 (Four of Wands): 완드 4는 안정과 기쁨을 상징합니다. 이 카드는 성공적인 시작과 안정된 기반을 의미합니다. 해외투자나 코인 투자 사업에서 이 카드는 초기 단계에서의 안정성과 성공을 나타냅니다.

완드 3 (Three of Wands): 완드 3은 성장과 발전을 상징합니다. 이 카드는 새로운 기회를 찾고 확장하기 위해 준비되어 있다는 것을 나타내며, 성공적인 결과를 기대할 수 있는 긍정적인 시기임을 시사합니다.

컵 10 (Ten of Cups): 컵 10은 행복하고 만족스러운 가정이나 관계를 나타냅니다. 이 카드는 내적 충족과 만족을 상징하며, 성공적인 프로젝트나 사업으로 인한 긍정적인 감정을 시사합니다.

상담팁

해외투자와 코인 투자 사업에서 성공적인 이윤을 얻을 수 있는 가능성이 있음을 시사합니다. 안정된 시작과 기반이 마련되어 있고, 성장과 발전을 위한 준비가 되어 있는 것으로 보입니다. 또한 행복하고 만족스러운 결과를 기대할 수 있는 긍정적인 시기임을 나타냅니다.

그러나 이 카드들은 전적으로 긍정적인 결과를 보장하는 것이 아니며, 모든 투자에는 위험이 따르므로 신중한 판단과 조사가 필요합니다. 특히 코인 투자와 같은 투기적인 활동에서는 시장의 변동성과 리스크를 고려해야 합니다. 상황을 면밀히 검토하고 가능한 한 많은 정보를 수집한 후에 결정하는 것이 중요합니다.

149. 코인 투자 사업에서 실적과 이윤이 날까요?

(펜타클7-킹소드-절제-무명)

펜타클 7 (Seven of Pentacles): 펜타클 7은 노력의 결과를 기다리는 시기를 나타냅니다. 이 카드는 노력과 투자한 에너지에 대한 보상을 받기 위해 참을성을 가지고 기다리는 것이 중요하다는 메시지를 전달합니다. 코인 투자 사업에서 이 카드는 시간과 노력을 투자했으며, 그 결과를 기다리는 단계를 나타냅니다.

킹 소드 (King of Swords): 킹 소드는 지적인 지도자를 상징합니다. 이 카드는 명확한 판단력과 결단력을 강조하며, 투자에 대한 객관적이고 분석적인 접근이 필요함을 시사합니다. 투자 결정을 내릴 때 객관적인 시각을 유지하고 지식을 바탕으로 한 결정을 내리는 것이 중요합니다.

절제 (Temperance): 절제 카드는 균형과 조화를 상징합니다. 이 카드는 적당한 조화와 자제력을 유지하고 지나친 행동을 피하는 것이 중요하다는 메시지를 전달합니다. 투자 사업에서는 무분별한 행동보다는 신중하고 균형잡힌 접근이 필요함을 나타냅니다.

무명 (The Nameless One): "무명" 카드는 일반적인 타로 덱에는 없는 카드로, 특별한 의미를 지니고 있습니다. 이 카드는 변화와 새로운 시작을 상징하며, 과거의 제약에서 벗어나 새로운 가능성을 탐색하는 것을 나타냅니다. 코인 투자 사업에서는 새로운 전략이나 접근 방식을 모색하여 성공을 이룰 수 있는 가능성이 있음을 시사합니다.

상담팁

코인 투자 사업에서는 시간과 노력을 기다리며, 명확한 판단과 분석, 그리고 균형잡힌 접근이 필요합니다. 과거의 경험을 바탕으로 새로운 전략을 모색하고, 새로운 가능성을 탐색하는 것이 중요합니다. 그러나 이 카드들은 전적으로 긍정적인 결과를 보장하는 것이 아니며, 투자에는 항상 리스크가 따르므로 신중하게 고려해야 합니다.

150. 타로사주업에서 앞으로 손님이 많이 늘어날까요?
(완드10-완드9-소드6-악마)

완드 10 (Ten of Wands): 완드 10은 부담과 과중함을 나타냅니다. 이 카드는 목표를 향해 노력하는 동안 부담을 느끼거나 지나치게 많은 일을 짊어지고 있다는 것을 의미합니다. 이것은 잠재적으로 현재의 업무 부담으로 인해 새로운 손님을 받을 여력이 충분하지 않을 수 있다는 것을 시사할 수 있습니다.

완드 9 (Nine of Wands): 완드 9는 인내와 강인함을 상징합니다. 이 카드는 어려운 시간을 견뎌내고, 끝까지 노력하고자 하는 의지를 나타냅니다. 이것은 현재의 업무를 처리하기 위해 충분한 노력을 기울이고 있다는 것을 시사할 수 있습니다.

소드 6 (Six of Swords): 소드 6은 어려운 시기를 뒤로하고 나아가는 것을 나타냅니다. 이 카드는 현재의 어려움을 극복하고 새로운 시작을 향해 전진하고자 하는 의지를 상징합니다. 이것은 현재의 업무에 대한 어려움을 극복하고 새로운 시기로 나아갈 수 있다는 희망을 시사할 수 있습니다.

악마 (The Devil): 악마 카드는 유혹과 물질적인 결핍을 상징합니다.

이 카드는 물질적인 욕구나 소망에 사로잡혀 있거나, 자신의 제한과 한계에 대해 부정적으로 인식하고 있는 것을 나타냅니다. 이것은 현재의 업무 상황에서의 제한과 어려움을 시사할 수 있습니다.

상담팁

현재의 업무 상황은 어려움과 부담이 있을 수 있으며, 손님이 증가하기 위해 추가적인 노력과 인내가 필요할 수 있습니다. 그러나 현재의 어려움을 극복하고 새로운 시작을 향해 나아가는 노력을 기울인다면, 잠재적으로 손님이 늘어날 수 있는 가능성이 있습니다. 그러나 손님이 늘어날지 여부는 현재의 상황과 자신의 노력에 따라 달라질 것입니다.

151. 올해 운이 어떻게 전개 될까요?
(소드10-펜타클10-나이트소드)

소드 10 (Ten of Swords): 소드 10은 어려운 시기의 끝을 나타냅니다. 이 카드는 과거의 어려움과 슬픔의 끝을 상징하며, 새로운 시작과 변화의 가능성을 시사합니다. 어려움을 극복하고 새로운 길을 찾는 과정에서의 마지막 단계를 나타냅니다.

펜타클 10 (Ten of Pentacles): 펜타클 10은 안정과 풍요로움을 나타냅니다. 이 카드는 재정적 안정과 가정 생활의 안정성을 상징하며, 성공과 풍요로운 결과를 시사합니다. 이는 올해 여러 면에서 안정과 풍요로운 성취를 이룰 수 있는 가능성을 시사합니다.

나이트 소드 (Knight of Swords): 나이트 소드는 활동성과 끊임없는 진취를 상징합니다. 이 카드는 목표를 향해 빠르게 나아가는 것을 나타내며, 목표를 달성하기 위해 헌신하는 모습을 보여줍니다. 이는 올해 내담자가 목표를 향해 열정적으로 나아갈 것이며, 결단력과 헌신으로 원하는 결과를 이룰 수 있다는 것을 시사합니다.

상담팁

올해는 어려운 시기를 극복하고 안정과 풍요로움을 찾을 수 있는 가능성이 있습니다. 과거의 어려움을 뒤로하고 새로운 시작을 향해 나아가는 과정에서 안정과 성취를 이룰 수 있을 것입니다. 열정과 결단력을 발휘하여 목표를 향해 끊임없이 노력하면, 원하는 결과를 달성할 수 있는 길이 열릴 것입니다.

152. 올 한해 분기별 실적을 많이 낼까요?
(킹펜타클-에이스완드-나이트쏘드-행운카드)

이 타로 카드 점에서는 킹 펜타클, 에이스 완드, 나이트 쏘드, 그리고 행운 카드가 나왔습니다.

킹 펜타클은 안정과 성취, 그리고 재물과 성공을 나타내는 카드입니다. 에이스 완드는 새로운 시작과 창조적인 기회를 상징하며, 나이트 쏘드는 도전적이고 활동적인 에너지를 나타냅니다. 마지막으로, 행운 카드는 좋은 운이 따라올 것임을 시사합니다.

이 카드 조합에서는 킹 펜타클과 행운 카드의 출현으로 인해, 올 한 해에는 안정적이고 성취적인 분위기가 지속될 것으로 예상됩니다. 에이스 완드는 새로운 기회가 여러 차례 제공될 것임을 나타내며, 나이트 쏘드는 도전적인 상황에서도 활기찬 에너지를 발산할 수 있음을 시사합니다.

상담팁

이 타로 카드 점에서는 올 한 해에도 분기별로 좋은 실적을 거두며, 새로운 기회를 놓치지 않고 도전적인 상황에서도 활기찬 에너지를 발산할 수 있을 것으로 예상됩니다. 그러나 어떤 일이든 자신의 능력을 발휘하는 것이 중요하며, 노력과 열심히 노력하는 것이 좋은 결과를 가져올 것입니다.

153. 차 운전을 원활하고 안전하게 사고없이 잘 할수 있을까요?
(킹펜타클-컵2-연인)

킹 펜타클은 안정적이고 현실적인 에너지를 나타내며, 차량 운전 시 안전과 안정을 추구해야 함을 상기시킵니다. 컵 2는 두 사람 간의 관계에서의 조화와 감성을 나타내며, 차량 운전 시 다른 차량과의 상호작용에서의 조화와 예의를 강조합니다. 마지막으로, 연인 카드는 애정과 신뢰를 상징하며, 차량 운전 시 자신과 차량, 그리고 다른 차량과의 관계에서의 신뢰와 책임감이 중요함을 시사합니다.

따라서, 이 타로 카드 점에서는 차량 운전 시 안전과 안정, 그리고 다른 차량과의 조화와 예의, 그리고 신뢰와 책임감이 중요하다는 메시지를 전달합니다. 자신의 차량에 대한 안전 점검과 운전 시 주의를 기울이는 것이 중요하며, 다른 차량과의 상호작용에서는 예의를 갖추고 신뢰와 책임감을 가지고 대처하는 것이 좋습니다. 이러한 노력과 조화로써, 차 운전을 원활하고 안전하게 잘 수행할 수 있을 것입니다.

154. 밀린 월급을 잘 받을수 있을까요?
(펜타클2-에이스펜타클-부활)

펜타클 2는 재정적인 안정과 꾸준한 노력을 상징하며, 월급을 받는 과정에서도 재정적인 안정을 추구해야 함을 상기시킵니다. 에이스 펜타클은 새로운 재정적인 시작과 기회를 상징하며, 월급을 받으면서 새로운 재정적인 기반을 마련할 수 있는 기회가 올 것임을 시사합니다. 마지막으로, 부활 카드는 변화와 회복을 상징하며, 월급을 받으면서도 회복과 변화를 통해 새로운 삶을 시작할 수 있다는 희망을 전합니다.

따라서, 이 타로 카드 점에서는 월급을 받는 것은 어려울 수 있지만, 지속적인 노력과 재정적인 안정을 추구하며, 새로운 기회와 삶의 변화를 통해 회복할 수 있다는 메시지를 전달합니다. 이 과정에서 자신의 내면을 돌아보고 자신의 강점을 찾아내는 것도 중요할 것입니다. 이러한 노력과 변화를 통해, 밀린 외상값을 잘 받을 수 있을 것입니다.

155. 언제 애인이 생길까요 ?

(봄-퀸완드, 여름-퀸펜타클, 가을-태양, 겨울-펜타클6)

이 타로 카드 점에서는 봄에는 퀸완드, 여름에는 퀸펜타클, 가을에는 태양, 겨울에는 펜타클 6이 나왔습니다.

봄에는 퀸완드 카드가 나왔는데, 이는 에너지와 창의력이 높은 여성을 나타내며, 이를 애인을 만나기 위해 자극제로 활용하면 좋다는 메시지를 전합니다. 여름에는 퀸펜타클 카드가 나왔는데, 이는 안정적이며 실용적인 여성을 나타내며, 애인을 만나기 위해서는 꾸준한 노력과 안정적인 기반을 마련하는 것이 중요하다는 메시지를 전합니다. 가을에는 태양 카드가 나왔는데, 이는 자신의 인기와 자신감을 상징하며, 애인을 만날 수 있는 좋은 기회가 찾아온다는 메시지를 전합니다. 마지막으로 겨울에는 펜타클 6이 나왔는데, 이는 노력하면 보람을 느낄 수 있는 카드입니다. 애인을 만나기 위해서는 노력하고 노력한 결과를 축적하는 것이 중요하다는 메시지를 전합니다.

상담팁

이 타로 카드 점에서는 애인을 만날 수 있는 좋은 기회가 연중 내내 찾아올 수 있다는 메시지를 전하고 있습니다. 하지만 이를 위해서는 자신의 강점과 장점을 찾아내고, 꾸준한 노력과 안정적인 기반을 마련하며, 자신감과 창의력을 발휘해야 할 것입니다. 또한, 겨울에는 노력한 결과를 축적하며, 애인을 만날 수 있는 기회를 찾아내는 데 집중하는 것이 좋을 것입니다.

156. 공무원 시험에 합격할까요?
(퀸펜타클-정의-완드5)

퀸펜타클은 학습과 지적인 능력, 문제 해결 능력 등을 상징하며, 이는 공무원 시험에서 요구되는 능력과 매우 밀접합니다. 정의는 결정과 선택, 또한 평가와 공정성을 상징하며, 이는 시험 결과에 대한 공정한 평가와 관련됩니다. 마지막으로 완드5는 열심히 노력하고 자신의 목표를 추구하는 노력을 상징합니다.

공무원 시험에 합격하기 위해서는 지적 능력과 문제해결 능력을 활용하여 열심히 노력하며, 평가와 공정성을 중요하게 생각해야 합니다. 따라서 질문자님께서는 공부와 노력을 통해 자신의 역량을 쌓고, 시험을 준비할 때 공정성과 평가를 고려하며 최선을 다하면 합격이 가능할 것으로 보입니다.

157. 소개팅을 나가게 되었는데 나가면 멋지고 아름다운 여자를 만날 수 있을까요?

(악마-컵3-펜타클7)

악마 카드는 유혹, 매력, 욕망을 나타내며, 컵 3은 새로운 인연, 로맨스, 사랑을 상징합니다. 펜타클 7은 성취, 재산, 안정성을 의미합니다. 이러한 카드 해석을 종합해보면, 소개팅을 나가게 된다면 멋지고 아름다운 여성을 만날 가능성이 있으며, 이를 통해 성취와 안정된 관계를 이룰 수 있을 것으로 예상됩니다.

158. 여군이 적성에 맞을까요?

(힘-페이지완드-세계)

"힘" 카드는 여군이 강인하고 굳건한 의지를 갖고 역경을 극복할 수 있다는 것을 의미합니다. "페이지 완드" 카드는 창조적이고 발전적인 에너지를 나타내며, 여군이 미래에 대한 비전을 갖고 있는 것을 시사합니다. 마지막으로 "세계" 카드는 완성과 성취, 세계적인 인식 등을 상징합니다. 이 카드는 여군이 다양한 경험을 통해 성취감을 느끼고 인정받을 수 있다는 것을 나타냅니다.

따라서, 이 타로 해석 결과를 종합해보면 여군이 자신의 강인한 의지와 창의적인 역량을 발휘하여 다양한 경험을 통해 인정받고 성취할 수 있는 적성을 갖추고 있다는 것을 시사합니다.

159. 예술적 재능을 펼칠수 있나요?

(페이지컵-데쓰-나이트컵)

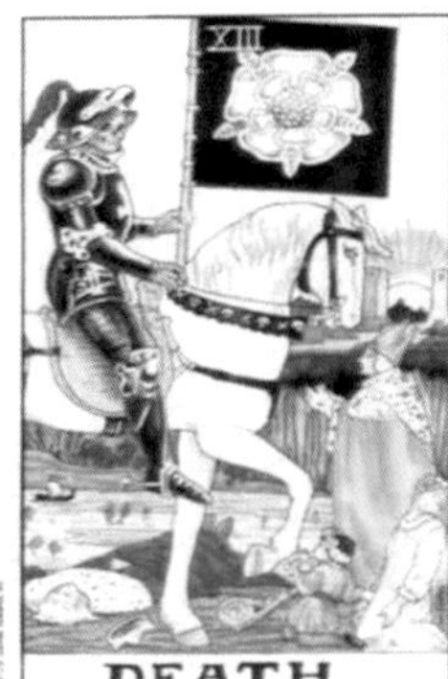

페이지컵은 창조성과 예술적인 능력을 나타내며, 이 카드가 나온다면 예술적 재능을 가진다는 것을 시사할 수 있습니다. 따라서 이 카드가 나온다면 예술적인 재능을 펼칠 수 있는 가능성이 높다고 볼 수 있습니다.

반면에 데쓰 카드는 종종 끝이 없는 상황이나 권위주의를 나타내는 경우가 많습니다. 이 카드가 나온다면 예술적인 재능을 펼치기 위해 어려움이 있을 수 있으며, 삶의 다른 측면들에도 영향을 미칠 수 있다는 것을 시사합니다.

마지막으로 나이트컵은 창조성과 인내심, 능력을 나타내는 카드입니다. 이 카드가 나온다면 예술적인 재능을 가지고 있을 가능성이 높다는 것을 시사할 수 있습니다. 그러나 이 카드는 일을 처리하는 데 필요한 균형과 조화를 강조하기도 합니다. 따라서 예술적인 재능을 펼치기 위해서는 인내심과 균형감각도 필요할 것입니다.

상담팁

종합적으로 페이지컵이 나왔다면 예술적 재능을 펼칠 가능성이 높으며, 데쓰가 나왔다면 어려움이 있을 수 있지만 극복하여 펼칠 수 있으며, 나이트컵이 나왔다면 인내심과 균형감각이 필요하지만 재능을 펼칠 수 있는 가능성이 높다는 것을 알 수 있습니다.

160. 저에게도 감미로운 사랑이 찾아올까요?

(완드8-펜타클7-킹컵)

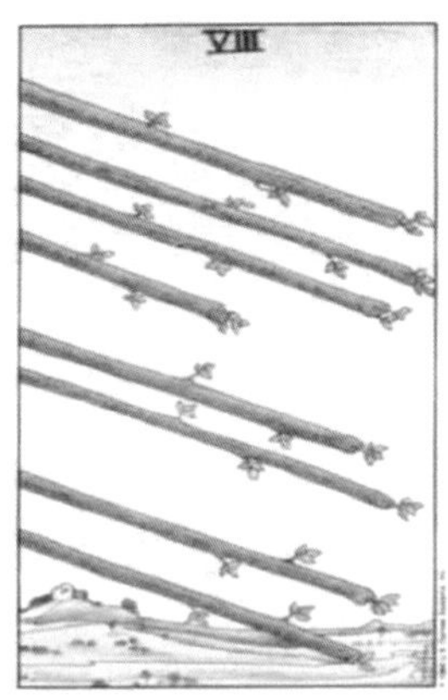

완드8은 열정적인 사랑과 로맨스를 나타내며, 이 카드가 나온다면 감미로운 사랑이 찾아올 수 있는 가능성이 높다는 것을 시사합니다.

반면에 펜타클7은 안정적이고 실용적인 사랑을 나타내는 경우가 많습니다.
이 카드가 나온다면 감미로운 사랑보다는 현실적인 사랑을 추구하며, 이를 위해 노력하고 있을 가능성이 높습니다.

마지막으로 킹컵은 감성적이고 따뜻한 사랑을 나타내는 경우가 많습니다. 이 카드가 나온다면 감미로운 사랑이 찾아올 수 있지만, 이를 위해서는 자신의 감성을 잘 이해하고 표현할 수 있어야 한다는 것을 시사합니다.

상담팁

완드8이 나왔다면 감미로운 사랑이 찾아올 가능성이 높지만, 펜타클 7이 나왔다면 현실적인 사랑을 추구할 것이며, 킹컵이 나왔다면 감성적인 사랑이 찾아올 수 있지만, 이를 위해서는 자신의 감성을 잘 이해하고 표현해야 한다는 것을 알 수 있습니다.

161. 앞으로 저희 가게에 손님과 고객이 많아 질까요?
(완드5-컵8-전차)

타로리딩에서 완드5, 컵8, 전차는 모두 성장과 발전, 이동과 전진을 나타내는 카드입니다.
완드5는 변화와 도전을 의미하며, 이 카드가 나온다면 앞으로 손님과 고객이 늘어날 수 있는 변화가 예상됩니다. 이러한 변화는 일시적인 도전을 초래할 수 있지만, 미래에는 성장과 발전을 가져올 수 있습니다.

컵8은 협동과 조화를 의미합니다. 이 카드가 나온다면 손님과 고객과의 관계에서 상호 협력과 조화가 중요하다는 것을 시사합니다. 이를 통해 더 많은 고객을 유치하고 이들의 만족도를 높일 수 있습니다.

마지막으로 전차는 이동과 전진을 나타내며, 이 카드가 나온다면 손님과 고객이 늘어날 수 있는 새로운 시장으로 진출하거나, 더 많은 고객을 유치하기 위해 적극적으로 움직여야 한다는 것을 시사합니다.

상담팁

완드5가 나왔다면 변화와 도전이 예상되며, 이를 통해 성장과 발전이 가능할 것입니다. 컵8이 나왔다면 상호 협력과 조화가 중요하며, 이를 통해 고객 유치와 만족도 향상이 가능할 것입니다. 마지막으로 전차가 나왔다면 이동과 전진이 필요하며, 새로운 시장으로 진출하거나 더 많은 고객을 유치하기 위해 적극적으로 움직여야 할 것입니다. 따라서 앞으로 손님과 고객이 늘어날 가능성이 높다는 것을 알 수 있습니다.

162. 다른 사람들이 보는 저는 어떤 사람인가요?
(에이스컵-페이지완드-퀸펜타클)

에이스컵은 새로운 아이디어와 창조적인 열정을 나타내며, 이 카드가 나오면 내담자가 창의적이고 독창적인 사고를 가지고 있다는 것을 시사합니다. 이는 다른 사람들에게 매력적으로 다가갈 수 있는 특성입니다.

페이지완드는 지적인 호기심과 관심, 학습능력을 나타내며, 이 카드가 나오면 내담자가 지적인 호기심과 관심을 가지고 있어서 지식을 습득하고 발전시키는 것을 좋아한다는 것을 보여줍니다.

마지막으로, 퀸펜타클은 지적인 역량과 직관력을 나타냅니다. 이 카드가 나오면 내담자가 지적인 역량과 직관력을 활용하여 문제를 해결하고 높은 성과를 이루는 능력이 있다는 것을 시사합니다.
따라서, 에이스컵, 페이지완드, 퀸펜타클이 나왔다는 것은 내담자가 창의적이고 독창적인 사고를 가지고 있으며, 지적인 호기심과 관심을 가지고, 지적인 역량과 직관력을 발휘할 수 있다는 것을 보여줍니다. 이는 다른 사람들에게 호감을 주는 인간이라는 것을 시사합니다.

163. 물건을 잃어 버렸는데 찾을수 있겠는지요?
(컵5-펜타클7-펜타클10)

컵 5는 감정적인 손실이나 분리를 나타내는 카드입니다. 그러나 이 카드는 뒤를 돌아보는 것이 아니라 앞으로 나아가는 것을 장려합니다. 이 카드는 내담자가 현재 상황에서 슬픔과 아픔을 느끼고 있을 수 있지만, 이것은 잃어버린 물건에 대한 감정일 수도 있습니다.

펜타클 7은 재물과 자원을 나타내는 카드입니다. 그러나 이 카드는 소유와 자산의 변동성을 나타냅니다. 따라서 이 카드는 물건을 찾을 수 있는 가능성이 있지만, 찾을 수 없을 수도 있다는 것을 시사합니다.

마지막으로, 펜타클 10은 안정적인 자금, 재산, 물질적인 안정성을 나타내는 카드입니다. 이 카드는 내담자가 물건을 찾을 수 있는 높은 가능성을 시사합니다. 하지만 조금 기다려야 할 수도 있습니다.

상담팁

이 카드들을 종합적으로 해석해보면, 물건을 찾을 수 있는 가능성이 있지만, 물건을 찾기 위해 시간과 노력이 필요할 수도 있습니다. 당신이 잃어버린 물건을 찾기 위해서는 차분하게 대처하며 조금 더 기다려보는 것이 좋을 것입니다.

164. 복잡한 소송을 진행중인데 소송에서 이길수 있을까요?
(운명의수레바퀴-연인-스타)

운명의 수레바퀴는 일상 생활에서의 변화와 운명의 변화를 나타내는 카드입니다. 이 카드는 긍정적인 전환을 나타내기도 하지만, 불확실성과 예기치 못한 사건이 일어날 가능성도 있습니다. 이 카드는 소송에서 이길 수 있는 가능성이 있지만, 결과는 예측할 수 없다는 것을 시사합니다.

연인은 대개 선택과 결정, 관계, 애정 등을 나타내는 카드입니다. 이 카드는 소송과는 직접적으로 연관이 없지만, 이 카드는 상대방과의 관계나 협상이 소송 결과에 영향을 미칠 수 있다는 것을 시사합니다. 따라서 당신의 상대방과의 관계나 협상이 이 소송의 결과에 영향을 줄 수 있다는 것을 염두에 두어야 합니다.

마지막으로, 스타는 희망, 기대, 희생, 자비, 별빛 등을 나타내는 카드입니다. 이 카드는 긍정적인 전망과 희망을 보여주며, 내담자가 소송에서 이길 수 있는 가능성이 있음을 나타냅니다.

상담팁

소송에서 이길 가능성이 있지만 결과는 예측할 수 없으며, 상대방과의 관계나 협상이 이에 영향을 미칠 수 있다는 것입니다. 이 소송에서 이길 수 있도록 최선을 다하고, 결과를 예측하지 않고 기다려보는 것이 좋을 것입니다. 또한, 이 소송에서 중요한 결정을 내리기 전에 충분한 고민과 검토가 필요하며, 이에 대한 전략을 세워야 할 것입니다.

저자 약력

* 사주명리상담 현업
* 타로명리 평생교육사
* 심리상담학전공
* 평생교육원 타로강좌
* 아로마테라피스트, 대체의학
* 코엑스, 신세계백화점등 타로행사 파견
* 최면세션 심리치료
* 역학자문위원
* 고전풍금 및 아코디언 연주가

저서

* 써먹는 사주
* 직관 필 사주명리
* 써먹는 타로카드
* 타로실전 리딩 사례집
* 타로 손자병법
* 옥소리 아코디언교본
* 오라이 77번 버스안내양
* 손금 그속의 비밀
* 사주한자독파교본
* 마차집일기소설 및 시집 다수
* 멀티타로실전리딩사례집
* 재홍시집 및 체험수기외 다수

* 작가연락처
cyberm91@naver.com

* 참조
타로는 운세를 정확하게 예측하기 위한 도구로 사용될 수 있지만, 그것은 예측과 해석에 개인적인 요소가 많이 들어가기 때문에 주의가 필요하며 타로의 기본상징과 키워드나 해석이 상이할수 있습니다.

멀티타로실전리딩사례집

지은이 | 박광열

펴낸이 | 한건희

펴낸곳 | 주식회사 부크크

발행|2024년 5월 13일

출판사등록 | 2014.07.15.(제2014-16호)

주 소 | 서울특별시 금천구 가산디지털1로 119 SK트윈타워 A동 305호

전 화 | 1670-8316

이메일 | info@bookk.co.kr

isbn| 979-11-410-8437-0